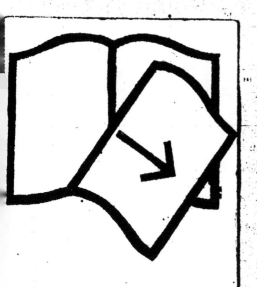

Couverture inférieure manquante

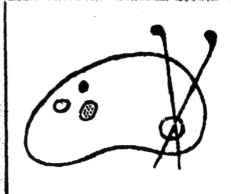

Début d'une série de documents
en couleur

BIBLIOTHÈQUE DE CRITIQUE RELIGIEUSE

Les Vierges Mères

et les Naissances

Miraculeuses

ESSAI DE MYTHOLOGIE COMPARÉE

PAR

P. SAINTYVES

PARIS
LIBRAIRIE CRITIQUE
ÉMILE NOURRY

1908

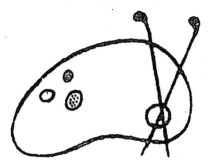

Fin d'une série de documents
en couleur

Les Vierges Mères

ET LES

Naissances Miraculeuses

P. SAINTYVES

Les Vierges Mères

ET LES

Naissances

Miraculeuses

PARIS
LIBRAIRIE CRITIQUE
EMILE NOURRY
14, rue Notre-Dame-de-Lorette, 14

—

1908

INTRODUCTION
L'horreur de la Stérilité

*Les peuples jeunes, non seulement igno-
rèrent les doctrines de Malthus, mais eurent
tous, de la stérilité, une horreur profonde. Ils
n'imaginaient point de fléau plus redoutable,
de honte plus grande. La femme stérile était
en opprobre aux siens. Elle-même se considérait comme maudite. A quoi bon, si elle n'enfantait point, le vase de ses flancs, pour qui
la coupe de ses seins? Son inutile beauté s'en-
deuillait à ces pensées obsédantes qu'elle eût
souhaité de conjurer en élevant un enfant dans
ses bras.*

*« Les Indiens, dit Sonnerat, sont tellement
persuadés que les dieux ne leur ont accordé
l'existence que pour se reproduire qu'ils regardent la stérilité comme une malédiction. » (1).*

*Ce sentiment était dans la conscience des
peuples anciens absolument indéracinable.*

---

(1) SONNERAT. — *Voyage aux Indes orientales et à la
Chine* fait depuis 1774 jusqu'en 1782, Paris, 1782, in-4°,
T. I, p. 123.

La nécessité d'avoir des fils leur semblait indispensable s'ils ne voulaient que leurs mânes, un jour, abandonnées sans soin et sans culte, ne revinssent errer, misérables et angoissées, aux lieux où jadis ils avaient promené leur infécondité (1). Cette conviction est demeurée toute puissante chez les Fils du Ciel.

D'autre part, ils ne doutaient point que la fécondité ne fût une preuve de l'amitié des dieux. Aussi les dieux générateurs, producteurs et créateurs de vie, leur apparaissent-ils comme les premiers de tous. Engendrer leur semblait la participation la plus haute et la plus complète qu'une créature humaine pût avoir au plus grand des privilèges ou des bienfaits divins. « Si les femmes, dit Olaüs Rudbeck en parlant des anciens Saxons, si les femmes honoraient si religieusement le Phallus, c'était non seulement dans l'espérance de voir la fécondité s'étendre sur la terre, mais sur elles-mêmes; elles y étaient portées moins par la débauche que par l'honneur attaché à la maternité. » (2)

---

(1) FUSTEL DE COULANGES. — *La Cité antique*, Paris, ҈ ԁ., in-12, p. 10 et suiv.

OLAUS RUDBECK. — *Atland eller Manheim Atlantica, siv. Manheim vera Japheti posterorum sedes et patria* Upsalæ, 1698, in-f°, II, 293-294. — On eut pu en dire autant des Suédois cfr : ADAM DE BRÊME, *De Situ Daniæ*, 1629, in-4°, p. 23.

Chez les Finnois, ce n'était nullement un déshonneur pour une femme non mariée d'avoir un enfant, tout au contraire. Les femmes qui avaient eu un enfant étaient les plus recherchées en mariage, parce qu'elles donnaient l'espérance d'en avoir d'autres (1).

L'horreur de la stérilité confinait jadis à l'épouvante. Et plutôt que de subir cette déchéance, les peuples jeunes imaginèrent mille moyens de remplir la maison vide et d'agrandir le cercle de famille. Un missionnaire jésuite qui séjourna longtemps à Madagascar nous en a laissé ce curieux témoignage : « Beaucoup de tribulations peuvent frapper le Malgache. Doué d'un esprit de résignation à surpasser Job sur son fumier, il présente à toutes un front d'airain; une seule déconcerte son impassibilité, c'est celle de la stérilité. Il n'est rien qu'il ne tente pour y échapper; et l'on peut dire, sans se tromper, que ce désir effréné de postérité a été jusqu'ici pour la nation un des fléaux de la moralité publique. Combien de fois n'a-t-il pas brisé le lien conjugal, foulé aux pieds la fidélité, et introduit l'étranger à la place de l'époux? Tout enfant est, en effet, bienvenu dans la famille et ceux de père inconnu sont même privilégiés en quel-

(1) Journal de la Société Finno-Ougrienne, T. V, p. 102.

que sorte, par l'usage qui les élève au rang de frère de la mère, avec part égale à l'héritage paternel et maternel, ce qui revient à donner une prime aux enfants de l'étranger. » (1).

En passant de notre grande île sur le continent africain, nous retrouverons les mêmes sentiments et les mêmes agissements. Dans l'Égypte ancienne, on mesurait la prospérité de l'état à l'accroissement de la population et la privation de postérité apparaissait comme la suprême infortune (2).

Nous pourrions multiplier sans fin ces témoignages. Il nous suffira de nous arrêter à l'un des plus significatifs, j'entends celui de la Bible et des tombes hébraïques. « Chez les anciens Hébreux la plus haute bénédiction

(1) P. DE LA VAISSIÈRE. — *Vingt ans à Madagascar,* Paris, 1885, in-8°, p. 181-182. De même dans le Queensland, quelle que soit la cause de la conception, le mari accepte toujours l'enfant comme sien et sans discussion. A. VAN GENNEP. — *Mythes et Légendes d'Australie*, Paris, 1906, in-8°, p. 21.

Sans doute doit-on attribuer à un semblable état d'esprit, l'origine de l'hospitalité extraordinaire que pratiquent certaines populations. L'abandon des femmes aux étrangers, à Kamul (Hamil) passait pour agréable aux dieux et propre à assurer l'abondance et la richesse. Même chose chez les tribus des montagnes de la Paropamisade. FERRIER. — *Voyage en Perse et dans l'Afghanistan*, 1860, T. I, p. 433. Cette coutume aurait, dit-on, laissé des traces même en certaines régions de l'Europe.

(2) LÉON LALLEMAND. — *Note dans* Séances de l'Acad. des Sciences morales et politiques, février, 1901, p. 183.

est d'avoir des descendants aussi nombreux
que les étoiles du ciel et que les sables de la
mer (1), aussi touffus que l'herbe de la terre (2).
Et ils bénissent Rebecca en lui disant : Sois
la mère de milliers et de milliers de générations (3). — Bénédiction et fécondité sont sy-
nonymes (4), de même malédiction et privation de postérité (5) » (6). Rachel voyant
qu'elle ne donnait pas d'enfants à Jacob, s'é-
crie : Donne-moi des enfants, autrement j'en
mourrai (7). Quand enfin Dieu « ouvre son
sein », elle s'écrie : — Dieu a ôté mon opprobre ! — (8). « Un jour viendra, dit le Seigneur, où les hommes seront si rares que
chacun d'eux sera recherché par sept femmes
à la fois. Toutes se disputeront son cœur et
sa main, et lui diront : Nous ne demandons
rien ; nous offrons de nous habiller et de nous
nourrir, permettez seulement que nous portions
votre nom et sauvez-nous de l'opprobre ! » (9).

L'opprobre ! l'opprobre ! tel était le mot ob-

(1) *Gen.* XVII, 5.
(2) *Job*, V, 25.
(3) *Gen.*, XXIV, 60.
(4) *Gen.*, I, 22, *Deut.*, XXVIII, 4.
(5) *Deut.*, VII, 12 et suiv.
(6) L. G. LÉVY. — *La famille dans l'Antiquité israélite*,
Paris, 1905, in-8°, p. 175.
(7) *Genèse*, XXX, 1; XVI, 2.
(8) *Genèse*, XXX, 23.
(9) *Isaïe*, IV, 1.

1.

sesseur qui poursuivait la femme juive sans enfants. La stérilité était comme une menace redoutable suspendue sur le sein de la femme adultère (1). C'était aussi le mot effroyable qui gardait les tombes hébraïques contre la déprédation. Les inscriptions tumulaires la prophétisaient en effet à tout violateur de sépulture (2).

La femme stérile amenait elle-même à son mari une concubine et adoptait les enfants nés de cette union. Nous voyons Sara prier Abraham d'aller vers Agar : Peut-être, dit-elle, aurai-je des enfants par elle (3). Nachor, frère d'Abraham, eut aussi plusieurs enfants d'une concubine appelée Ronia (4).

Jacob épouse en même temps les deux sœurs, Rachel et Lia, et, lorsque l'une et l'autre sont devenues stériles, elles se font remplacer. Lia lui envoie Zelpha et Rachel dit à son mari : « Voici ma servante Bilha, approche-toi d'elle ; elle enfantera sur mes ge-

(1) *Nombres*, V, 21.

(2) LIDZBARSKI. — *Handbuch der. nord semitishen Epigraphik*, p. 142.

(3) *Genèse*, XVI, 2. — On rencontre encore chez les Romains des femmes stériles offrant le divorce à leurs époux, afin de lui permettre de prendre une autre femme et d'avoir des enfants. Elles s'offraient même de la choisir. R. CAGNAT. — *Figures de Romaines* dans *Conf. au Musée Guimet*, Pais, 1907, in-12, p. 37.

(4) *Genèse*, XXII, 24.

noux, et par elle, moi aussi, je serai mère. » (1)

Elkana a épousé Hannah; et, comme elle ne lui donne pas d'enfants, il lui adjoint Penina (2).

Le désir de postérité était si grand que l'on n'hésitait pas même à user, pour s'en procurer, de moyens abominables à nos yeux. Les filles de Loth enivrèrent leur père, se livrèrent à ses caresses et en eurent des enfants (3). Bilha qui dormait avec Jacob, dormit aussi avec Ruben, fils de ce patriarche (4). Thamar épouse successivement les deux frères, Her et Onan, fils de Juda. N'ayant pas d'enfants et craignant d'être accusée de stérilité, elle va, déguisée en prostituée, se placer sur un chemin où devait passer son beau-père. Celui-ci ne la reconnaît point, marchande ses faveurs, y met un prix, les obtient, et en a deux enfants (5).

La Bible qui nous rapporte ces faits et d'autres analogues : fornications, adultères, incestes, ne les considère point comme des crimes, mais comme des actions ordinaires dès lors qu'ils ont pour but de remédier à la stérilité. Ceux qui en sont les auteurs, n'y re-

(1) Genèse, XXX, 1-9.
(2) I Sam., I, 2.
(3) Genèse, XIX, 31.
(4) Genèse, XXXV, 22.
(5) Genèse, XXXV, 22.

çoivent aucun reproche, n'éprouvent ni blâme,
ni punition. Ne fallait-il point accomplir, de
toute nécessité, l'essentiel commandement :
Crescite et multiplicamini (1).

La fille de Jephté, apprenant de son père le
vœu condamnant sa jeunesse à la mort, lui
répondit : « Fais-moi selon ce qui est sorti
de ta bouche, puisque l'Eternel t'a vengé de
tes ennemis, les Ammonites. » Toutefois, elle
ajouta : « Accorde-moi ceci : laisse-moi pour
deux mois, afin que je m'en aille et que je
descende par les montagnes, et que moi et mes
compagnes nous pleurions sur ma virginité. »
Et il dit : « Va. »Et il la laissa aller pour deux
mois. Elle s'en alla donc avec ses compagnes
et pleura sa virginité sur les montagnes. Et
au bout de deux mois, elle retourna vers son
père, et lui fit selon le vœu qu'il avait fait,
et elle ne connut point d'homme (2).

On ne pouvait souligner plus fortement que
la douleur de l'infécondité surpassait toute douleur, même l'irréparable douleur de la mort.
Les Juives, dès leur jeunesse, appellent l'enfant qui doit emplir leur sein et se suspendre
un jour à leurs mamelles.

Avec un tel appétit de descendance, n'est-
il pas évident que les époux ne pouvaient man-

(1) Gen., I, 28; IX, 1. — Jerem., XXIX, 6.
(2) Juges, XI, 36-39.

quer d'appeler la religion, voire la magie, à
leur secours. « Parmi les personnes affligées
de n'avoir pas d'enfants, écrit Origène, il y
en a eu qui ont reçu la grâce de se voir père
ou mère après l'avoir demandée par leurs
prières au Créateur de l'Univers... On n'a
qu'à lire ce qui est raconté d'Ezéchias, qui
non seulement fut guéri de sa maladie, comme
Isaïe le lui avait prédit, mais qui ne fit point
de difficultés de dire avec confiance : J'aurai
encore, à l'avenir, des enfants qui publieront
ta justice (1). On peut voir aussi au quatrième
livre des Rois (2) comment cette femme qui
avait logé Elisée et à qui il avait promis un
enfant par la bénédiction de Dieu qui l'ins-
pirait, se vit effectivement mère selon les
vœux du prophète. » (3)

Voici ce que le Protévangile de Jacques
nous conte au sujet des parents de la Vierge
Marie.

« La grande fête du Seigneur survint et les
fils d'Israël apportaient leurs offrandes, et
Ruben s'éleva contre Joachim, disant : « Tu
n'as point le droit de présenter ton offrande,
car tu n'as point eu de progéniture en Israël. »
Et Joachim fut saisi d'une grande affliction...

(1) Isaïe, XXXVIII, 5-19.
(2) IV Rois, IV, 16-17.
(3) ORIGÈNE, Contre else, VIII, 45.

En scrutant le passé, il vit que tous les justes avaient laissé de la postérité... Alors Joachim, affligé de ce souvenir, ne voulut pas reparaître devant sa femme; il alla dans le désert et il y fixa sa tente et il jeûna quarante jours et quarante nuits...

Et vers la neuvième heure, Anne descendit dans le jardin pour se promener, et, voyant un laurier, elle s'assit dessous, et elle adressa ses prières au Seigneur, disant : « Dieu de mes pères, bénis-moi et exauce ma prière, ainsi que tu as béni les entrailles de Sara et que tu lui as donné Isaac pour fils. »

En levant les yeux au ciel, elle vit sur le laurier le nid d'un moineau et elle s'écria avec douleur : « Hélas ! à quoi puis-je être comparée ? A qui dois-je la vie pour être ainsi maudite en présence des fils d'Israël ? Ils me raillent et m'outragent et ils m'ont chassé du temple du Seigneur. Hélas ! à quoi suis-je semblable ? Puis-je être comparée aux oiseaux du ciel ? Mais les oiseaux sont féconds devant vous, Seigneur. *Puis-je être comparée aux animaux de la terre ?* Mais ils sont féconds. *Non, je ne puis être comparée ni à la mer, car elle est peuplée de poissons, ni à la terre, car elle donne des fruits en son temps, et ainsi bénit le Seigneur* (1). »

(1) BRUNET. *Dict. des Apocryphes*, I, 1013-1015.

Mais la pure supplication suppose déjà une religion bien épurée. Les peuples primitifs avaient des moyens plus élémentaires de combattre la stérilité. Le concours du sorcier, l'emploi de rites magiques furent à l'origine les ressources véritablement efficaces.

Parmi les époux sans enfants, les uns s'adressent aux pierres ou aux sources, les autres aux plantes et aux animaux et s'efforcent, par leur contact ou par une sorte de communion, d'obtenir la fécondité dont ils les croient les distributeurs. A un stade plus avancé de l'évolution religieuse, parmi les affligés, les uns invoquent les astres, d'autres les ancêtres qu'ils imaginent domiciliés dans les anciens objets de leur adoration. Enfin, grâce au progrès religieux, on imagine des dieux semblables, mais supérieurs à l'homme. Ce sont eux alors que l'on prie de descendre dans la couche des femmes stériles et de remplir auprès d'elles le rôle éminemment saint de procréateur. (1)

(1) Il s'éleva au sein de l'Islamisme une secte de religieux nomades nommés *Houams*, qui prit naissance en Arabie; ils se livraient à la prière, à l'adoration, et terminaient leurs exercices de piété par s'occuper de la propagation de l'espèce; c'était, à leurs yeux, le premier des devoirs de l'homme. L'objet leur était indifférent; ils se précipitaient sans distinction sur le premier qu'ils rencontraient et sans autre idée que celle d'accomplir une loi sacrée. ABBÉ BERTRAND. — *Dictionnaire de toutes les Religions*, Migne, 1849, in-4°, II, 1186. V° *Houams*, d'après THÉVENOT.

*Toutes ces pratiques ont eu leurs dévots et
la plupart des conceptions qui en résultaient
furent d'abord considérées comme naturelles.
Plus tard, lorsqu'on se rendit mieux compte
de la nécessité de l'acte sexuel et que l'on crut
moins à la réussite habituelle des anciens rites,
ces naissances extra-physiologiques passèrent
toutes pour des miracles. Les légendes de naissances miraculeuses et de vierges-mères, forment une végétation fleurie, qui naquit sur la
souche des anciennes pratiques de fécondations et des vieilles croyances qui les expli-
quèrent tout d'abord (1).*

*Une fois nées, nombre de ces légendes se
propagèrent par la tradition orale ou se transmirent par la voie littéraire. Mais la plupart
des légendes primitives naquirent incontestablement d'une interprétation tardive de rites
anciens.*

Jusqu'ici on n'a guère étudié cette catégorie

(1) « Les récits de Miracles anciens sont organiquement
liés dans l'esprit populaire aux pratiques expressément des-
tinées à renouveler ces mêmes merveilles... Il est clair,
en effet, d'après nombre de récits populaires, que les enfants qui naissent à la suite de quelque rite approprié sont
beaucoup moins le résultat de la semence de l'homme (au
cas où quelque mâle intervient) que celui du philtre ou de
l'incantation magique. » E. S. HARTLAND. — *The Legend
of Perseus*, London, 1894, in12, I, 147-148.

de légendes. Le travail le plus original qu'on leur ait consacré (1) les classe par pays. L'es-

(1) Le Comte H. DE CHARENCEY publia d'abord son travail sous le titre : « *Le Fils de la Vierge* » dont la première partie parut en 1879 dans *Les Mémoires de la Société Havraise* et la seconde en 1881, dans les *Annales de Philosophie Chrétienne*. Depuis, il l'a réimprimée avec quelques modifications sous le titre de « *Lucina sine concubitu* » dans son livre *Le Folklore dans les Deux-Mondes*, Paris, 1894, in-8°, p. 121-156.

M. de Charencey pensait que toutes ces traditions diverses ne sont que des altérations d'une révélation primitive accordée par Dieu à nos premiers parents.

Ce système a eu des précurseurs. Au XVII° siècle, nous trouvons l'ébauche de cette argumentation dans le livre fort curieux d'un chanoine de Sainte Geneviève, F.-J. FRONTON. *Dissertatio philologica de virginitati honorata erudita, adorata, fœcunda*, Lutetiæ, 1651, in-4°, p. 32-45 [D. 5656] et dans l'apologie du catholicisme que nous devons à l'évêque d'Avranches, P. D. HUET, *Alnetanæ Questiones de Concordia rationes et fidei*, Cadomii et Lutetiæ, 1690, in-4°, p. 237-242 [D. 7, 158].

Mais ce furent surtout les Traditionalistes du XIX° siècle qui développèrent la thèse de l'origine révélée de toutes les traditions anciennes et modernes. Au reste, l'idée était alors dans l'air et des érudits qui n'appartenaient pas précisément à cette école argumentèrent pareillement. Je citerai un peu au hasard DRACK. *Lettre d'un rabbin converti à ses coreligionnaires* (3° lettre). Elle a paru dans les *Annales de Philosophie chrétienne* de 1833, T. VII, p. 103-117, sous ce titre : *Croyance des peuples de l'antiquité sur une vierge-mère*. — A. BELIN. *Les traditions messianiques* ou Démonstration de la divinité du Christianisme par tous les peuples de la terre, Lyon, 1851, in-8°, p. 303-342. — H. D'ANSELME. *Le monde païen* ou De la mythologie universelle en tant que dépravation aux mille formes de la vérité successivement enseignée par la Tradition primitive, le Pentateuque et l'Evangile, Avignon, 1858-59, in-8°, T. II, p. 320-398. — P. DE PRÉMARE. *Vestiges des principaux dogmes chrétiens tirés des anciens livres chinois*, Paris, 1878, in-8°, p. 205-216. — AD. PELADAN. *Preuves éclatantes de la*

sai bien *postérieur d'Hartland* (1), *si remar-*
quable à tant d'égards, donne l'impression
d'un chaos. Nous les classerons d'après la na-
ture de l'agent procréateur. Cette méthode offre
un avantage qui éclatera à tous les yeux : elle
met en lumière et la raison première de très
vieux rites et celle des explications secondes
ou légendaires qui, après y avoir été attachées,
ont émigré de par le monde.

    Sans doute le « miracle » qui constituait à
un moment donné le noyau de diamant de ces
traditions s'évanouira en fumée sous nos yeux;
mais dans cette fumée même nous distingue-
rons encore une image merveilleuse, une mère
portant dans ses bras un enfant qui lui rit et
qui rit à la vie : prodige bien autrement clair
et indestructible que tous les miracles de tou-
tes les légendes dorées.

Révélation par l'histoire universelle, Paris, 1878, in-12, ch.
XXI-XXII, p. 205-231. Presque tous ces ouvrages, bien
oubliés aujourd'hui, ont eu leur heure de célébrité.

    (1) EDWIN SIDNEY HARTLAND. — *The Legend of Perseus* a
study of tradition in Story. Custom and Belief. London,
1894, in-16, Tome I. *The Supernatural Birth*, p. 71-228.

I

Les pierres fécondantes
et le culte des pierres

Un groupe fort homogène de légendes où les pierres empreintes jouent le rôle principal se rencontre en Asie Orientale.

Naissance de Fouh-hi ou Fo-hi. — Au *temps où Sorci-ju gouvernait les hommes, Hoa-Siu* ayant vu des traces de pied humain d'une grandeur extraordinaire, désira avoir un fils semblable à celui qui les avait laissées. Son vœu fut exaucé : après quatorze mois de grossesse, elle donna le jour à Fouh-hi, celui qui devait être le premier empereur de Chine (1) et dont on reporte le règne à plusieurs siècles avant la naissance d'Abraham

(1) Lord Macartney, *Voyage dans l'intérieur de la Chine et en Tartarie.* Paris, an XII (1804) in-8°, T. I, p. 48. — Voir également De Prémare S. J. *Recherches sur les temps antérieurs au Chou-King* dans la *Collection des livres sacrés de l'Orient,* édit. du Panthéon, p. 32.

et même parfois à une époque antérieure au déluge biblique (1).

Naissance de Dong. — L'avant-dernier prince de la dynastie des Hung régnait sur l'Annam, alors appelé royaume de Van-lung, vers la fin du quatrième ou le début du troisième siècle avant notre ère. Les Chinois avaient envoyé une armée considérable contre ses troupes et défait son général. Le prince découragé ne savait plus que faire.

Heureusement vivait à cette époque, dans le village de Phu-dong, un homme âgé de plus de soixante ans et dont la femme avait conçu d'une façon miraculeuse. Près de quatre ans auparavant, traversant le village de Bac-Ninh, elle avait remarqué sur la terre l'empreinte d'un pied de grandeur extraordinaire. *Y ayant elle-même marché, cette femme se trouva aussitôt enceinte.*

L'enfant qui naquit de cette étrange conception, et bien qu'il eut déjà quatre ans, n'avait encore jamais parlé, comme le héraut du prince de l'Annam courait le pays pour recruter des soldats. Lorsque Dong (ainsi s'appelait-il) entendit l'envoyé du roi, il parla et s'adressant à cet homme, il le chargea d'aller

---

(1) *Pei-wen-yumfou,* T. VI, p. 99, cité par L. DE ROSNY. *Le Taoïsme,* Paris, 1892, in-8°, p. 21, note 2.

lui chercher une armure, une massue et un
cheval de fer. A la suite d'un repas qui eut
effrayé Gargantua, Dong acquit subitement
une taille géante, revêtit l'armure qu'on lui
avait apportée, saisit la massue, enfourcha le
cheval et partit prendre la tête des troupes
annamites.

Grâce à lui, la victoire fut entière. Mais son
œuvre accomplie, il prit la route de Kim-anh
et la suivit jusqu'au mont Vu-link. Arrivé là,
il quitte ses vêtements de fer, gravit la montagne et, du sommet, s'envole au ciel.

On y peut voir encore aujourd'hui la marque
d'un pied imprimé dans la pierre. C'est l'empreinte que laissa ce guerrier divin en quittant
la terre (1).

Ces empreintes de pas d'une grandeur extraordinaire qui rendirent fécondes les mères de
l'empereur Fo-hi et du géant céleste Dong
durent être celles de pas divins. Si nous en
doutions, la double tradition relative à Héou-
tsi suffirait amplement à nous éclairer.

Conception et naissance de Héou-tsi. —
« Lorsque l'homme (*Héou-tsi*, fondateur de la
dynastie de Tchéou) naquit, Kiang-Yuen de-

(1) G. DUMOUTIER. *Une fête religieuse annamite au village de Phu-dong (Tonkin)* dans *Revue d'histoire des Religions* (1893), T. XXVIII, p. 67 et suivantes. Cette empreinte rappelle celle du pied de J.-C. dans l'endroit où il
quitta la terre (cf. THEVENOT. *Voyage au Levant*, p. 425-

vint mère. Comment s'opéra ce prodige ? Elle
offrait ses vœux et son sacrifice, le cœur affligé
de ce qu'elle n'avait pas encore de fils. Tandis
qu'elle était occupée de ces grandes pensées,
le *Chang-Ty* (Seigneur Suprême) l'exauça.
*Elle s'arrêta sur une place où le souverain
Seigneur avait laissé la trace du doigt de son
pied, et à l'instant, dans l'endroit même, elle
sentit ses entrailles émues,* fut pénétrée d'une
religieuse frayeur et conçut Héou-tsi.

Le terme étant arrivé, elle enfanta son premier né comme un tendre agneau, sans déchir-
ements, sans efforts, sans douleur, sans souil-
lure. Prodige éclatant ! miracle divin ! Mais le
Chang-Ty n'a qu'à vouloir ; et il avait exaucé
sa prière en lui donnant Héou-tsi.

Cette tendre mère le coucha dans un petit
réduit à côté du chemin. Des bœufs et des
agneaux l'échauffèrent de leur haleine ; les
habitants des bois accoururent, malgré la rigueur du froid ; les oiseaux volèrent vers l'enfant comme pour le couvrir de leurs ailes ; lui
cependant poussait des cris puissants qui
étaient entendus au loin » (1).

426) et l'empreinte que l'on montre au Soudan du pied du
chameau avec lequel Mahomed s'éleva au ciel : DENHAM,
CLAPPERTON et OUDNEY. *Voyage et découvertes dans le nord
et les parties centrales de l'Afrique.* Paris, 1826, in-8°,
III, 38.

(1) *Chi-King.* L. III, C. 2, ode 1, trad. du P. Cibot,

Dans ce récit du Chi-King, ce très ancien livre canonique de la Chine (1), il s'agissait bien de l'empreinte d'un pas divin. Or, l'Hérodote du Céleste Empire : Ssé-ma-tsien (2) qui florissait l'an 145 avant J.-C., n'y voit plus que les traces d'un pas géant (3).

.,Voici donc trois traditions d'après lesquel-

dans *Mémoires concernant les Chinois*, T. IX, p. 318. — Cette ode aurait été composée par Tchéou-kong, vers 1134 avant J.-C. « Les gloses, notes, paraphrases, des lettrés sur les vers du Chi-King s'accordent à les expliquer dans le sens le plus miraculeux. « Si *Heou-tsi*, dit *Kong-yng*, avait été conçu par l'union des deux sexes, il n'y aurait rien d'extraordinaire. Pourquoi le poète insisterait-il si fort sur les louanges de la mère, tandis qu'il ne dit mot du père?

Ayant été conçu sans l'union des deux sexes, dit *Tsou-tsong-po*, et le *Tien* lui ayant donné la vie par miracle, il devait naître sans blesser la virginité de sa mère.

Tout homme en naissant, dit *Ho-sou*, déchire le sein de sa mère et lui coûte les plus cruelles douleurs, surtout s'il est son premier fruit. Kiang-yuen enfanta le sien sans rupture, lésion, ni douleur. C'est que le Tien voulut faire éclater sa puissance, et montrer combien le Saint diffère des autres hommes. » R. P. DE PRÉMARE. *Vestiges des principaux dogmes chrétiens tirés des anciens livres chinois*, Paris, 1878, in-8°, p. 210-211, et *Mémoires concernant les Chinois*, T. IX, p. 387-388.

(1) Le Chi-King ou livre de poésies, se compose d'environ trois cents pièces qui passent pour avoir été réunies par Confucius. cfr. *Sacred Books of the East*, T. III, Chi-King, trad Legge. Introduct.

(2) Voyez sur ce grand historien et ses Ssé-Ki : MA-TOUAN-LIN. *Wen-hien toung-kas*, liv. CXCI; le P. AMIOT, dans *Mémoires concern. les Chinois*, T. I, p. 81 et ABEL DE RÉMUSAT. *Nouv. Mél. Asiatiques*, T. II, p. 132.

(3) DE PRÉMARE. *Vestiges*, P. 1878, in-8°, p. 210 et DE CHARENCEY. *Le Folklore dans les Deux Mondes*, P. 1894, in-8°, p. 199.

les une mère aurait enfanté pour avoir foulé
l'empreinte d'un pas divin laissée dans la pierre.
Que penser d'un tel miracle ? Ne serait-il
point tout simplement la dramatisation de quelque ancien rite destiné à obtenir la cessation
de la stérilité. Il aura suffi que quelques suppliantes illustres aient été exaucées pour donner naissance à ce thème merveilleux.

Lorsque Saint Ronan mourut, ne sachant'
où l'enterrer, les gens de Loc Ronan mirent
son corps sur une charrette attelée de deux
bœufs. Ceux-ci firent le tour que le saint faisait chaque jour pour se donner de l'exercice
et s'arrêtèrent à son ermitage. Mais au moment
d'y arriver, les roues de la charrette, gênées
par un passage étroit, laissèrent des marques
sur deux rochers contre lesquels les femmes
stériles se frottent pour avoir des enfants (1).

Au village de Saint-Ours, dans les Basses-
Alpes, on voit une pierre sur laquelle les jeunes filles vont glisser pour trouver un mari
et les jeunes femmes pour avoir des fils (2).
Même chose à Loches et à Bauduen (3). D'autres fois, la glissade ou le frottement est rem-

(1) CAMBRY. *Voyage dans le Finistère*, Brest, 1836, in-8°,
p. 278.
(2) GÉRARD DE RIALLE. *Mythologie comparée*, Paris, 1878,
in-12, p. 29.
(3) BÉRENGER-FÉRAUD. *Superstitions et survivances*, Paris,
1896, in-8°, II, 192.

placé par des sauts sur la pierre fécondante comme à la Pierre des Epousées, près de Rennes (1).

Dans une grotte des environs de Verdun, on montre une sorte de rocher en forme de chaire, appelée Chaise de Sainte Lucie et sur lequel la sainte avait laissé l'empreinte de son corps. Les femmes vont s'y asseoir pour obtenir la fécondité (2).

Ces pratiques sont loin d'être l'apanage exclusif des catholiques. On en trouve un grand nombre de semblables chez les Mahométans. Je n'en citerai qu'un exemple. Dans la Régence de Tunis, le tombeau de Sidi Fethallah est fort célèbre. Il se trouve à une lieue de la capitale, dans un site charmant, près d'un rocher haut de cinquante pieds environ, abrupt et très glissant. Les femmes stériles s'y rendent en grand nombre, le samedi, qui est le jour du saint. Après avoir imploré celui-ci, la pèlerine doit prendre une pierre plate, l'appliquer sur son ventre et descendre ainsi le rocher au risque de se rompre le cou. « J'ai vu, écrit M. de Flana, des femmes richement vêtues, que je supposais à leur tournure et malgré leurs voiles, jeunes et jolies,

(1) Hartland. The Legend of Perseus, 1894, I, p. 175.
(2) Bérenger-Féraud. Superstitions et survivances, Paris, 1896, in-8°, II, 192. Sur la glissade et la friction, voir P. Sébillot. Le Folklore de France, Paris, 1904, I, p. 335-340.

2

recommencer deux et trois fois ce pieux exercice » (1).

Que ce soient là des survivances d'un ancien
culte des pierres, personne n'en doutera : le
saint chrétien ou le saint marabout ne sauraient donner le change, leur culte en de semblables lieux n'est qu'une superposition qui a
permis à la religion conquérante de convertir
les anciennes pratiques du culte des pierres
fécondantes. Les pieds reliques de l'Orient
ont joué certainement un semblable rôle.

C'était déjà une vieille coutume dans l'antique Athènes Il y avait un rocher près de
Callirrhoé où les femmes qui désiraient des
enfants allaient s'asseoir et se frotter en invo-
quant la pitié des Moires (2). Chez les peuplades à demi-sauvages, on retrouve les mêmes
coutumes, à cette seule différence que les dévots s'y adressent surtout à la pierre. A Madagascar, vers le douzième kilomètre sud de
Tananarive, gît un gros bloc de pierre de
forme ovale, renflé en son milieu et déprimé
aux deux extrémités, comme la navette d'un
tisserand. Il est connu sous le nom de *pierre
enceinte,* non qu'elle doive un jour enfanter

---

(1) DE FLANA. *Etude sur la Régence de Tunis,* Paris,
1865.
(2) PLOSS. *Das Weib in der Natur und Volkerkunde.*
Leipzig, 1891, T. I, 436.

des pierres, mais parce qu'elle procure la fécondité aux femmes qui l'invoquent (1).

A Tananarive même, une pierre brute et
informe, nommée *pierre à chiffons*, en raison
des ex-voto (principalement des fragments
d'étoffe) dont l'accablent les fidèles, passe pour
rendre fertiles les champs et les hommes. « La
transmission de ses grâces, écrit le Père de la
Vaissière, s'opère surtout par son attouchement... Jadis le client allait, à la faveur des
ténèbres, s'asseoir sept fois sur cette pierre,
durant sept nuits consécutives. Ce mode de
supplication était réputé souverainement efficace et infaillible » (2).

Quelles raisons déterminèrent les adorateurs
des pierres à invoquer certaines d'entre elles
contre la stérilité? Il y en eut sans doute de
plusieurs sortes : dans certains cas, ce sont
les formes grossièrement phalliques des roches
qui ont donné lieu à cette pratique. Ce
pourrait bien être le cas des pierres du
palais de Luchon (3), de la pierre fichée
de Bourg-d'Oueil, du rocher de la vallée

(1) De la Vaissière. *Vingt ans à Madagascar*, d'après
les notes du P. Abinal et de plusieurs autres missionnaires
de la S. J., Paris, 1885, in-8°, p. 258.
(2) De la Vaissière, *Loc. cit.*, p. 262.
(3) P. Cuzacq. *La naissance, le mariage et le décès*,
Paris, 1902, in-12, p. 110.

d'Aspe (Hautes-Pyrénées (1), du bloc de granit de Sarrance (2), du pilier d'Orcival (3), du menhir de Kerventhon, dans la lande de Kerloas (4), de la pierre levée de Poligny (5) et du rocher de la montagne de Tracros, près Clermont (6). Ces deux dernières pierres furent baptisées du nom de Saint-Foutin (7).

Chez les Semites, on rendait un culte aux rochers et aux montagnes qui offraient l'apparence d'un cône. Dans l'Inde, le dieu le plus prié par les femmes stériles est Siva, le troisième personnage de la grande trinité hindoue, le dieu de la fécondité : son emblème est le linga qu'on représente au coin des rues ou dans les pagodes, *sous la forme d'une pierre levée*. Il est, dans le sud de l'Inde, à Tanjore,

(1) J. LACAZE. *Le culte des pierres dans le pays de Luchon*, dans *Association française pour l'Avancement des Sciences*, 1878, p. 900.

(2) DUGENNE. *Panorama hist. et descriptif de Pau et de ses environs*, 1839, p. 318.

(3) BÉRANGER-FÉRAUD. *Superstitions et Survivances*, II, 192 et DULAURE. *Des divinités génératrices*, 2ᵉ éd., Paris, 1825, in-8°, p. 286.

(4) HARTLAND. *The Legend of Perseus*, 1894, I, 175.

(5) BÉRENGER-FÉRAUD. *Superstitions et Survivances*, II, 190.

(6) DULAURE. *Des divinités génératrices*, 2ᵉ éd., Paris, 1825, in-8°, 270-271 et R. PAYNE KNIGHT. *Le culte de Priape*, Bruxelles, 1883, in-8°, p. 112.

(7) DULAURE. *Des divinités génératrices*, p. 270-271. — Sur les divinités génératrices représentées par des bornes, on peut voir encore DULAURE. *Histoire abrégée des différents cultes*, I, ch. XXI, p. 415 et suiv

une pagode fameuse, pleine de trois cent
soixante-cinq lingas de toutes les dimensions,
soigneusement alignés et qu'on vénère à tour
de rôle chaque jour de l'année. On les enduit
d'une huile spéciale, on les couvre de fleurs
et de parfums, on se prosterne devant eux ; les
dévots leur apportent des offrandes et les femmes stériles passent une nuit dans la pagode.
Il y a pour elles une chambre réservée, où dans
l'obscurité le dieu Siva vient les visiter (1).

Dans ce dernier exemple, il est visible que
le culte de Siva dut aider le brahmanisme à
absorber tous les anciens cultes qu'on rendait
auparavant à des pierres fécondantes, pierres
fichées ou pierres levées (2).

D'autres fois, les dévotes désireuses d'enfants s'adressent à des rochers qui présentent
des rondes bosses en forme d'œufs ou de mam-
melles. C'est le cas du menhir de Plouarzel
(Finistère) (3) et du mégalithe de Ker-Rohan

(1) Dʳ CH. VALENTINO. *Notes sur l'Inde*, Paris, 1906,
in-12, p. 137.
(2) Un vieux canon fut pris pour un linga, prié à fin de
progéniture et couvert de fleurs par la piété des femmes
hindoues, tellement est puissante la force de l'assimilation religieuse. Voir les détails fort pittoresques à ce sujet,
rapportés par A. H. Riehl, dans *Journ. Anthr. Instit.*,
VI, p. 359 et R. PAYNE. *Le Culte de Priape*, Bruxelles,
1883, in-4°, p. 112-113.
(3) P. CUZACQ. *Loc. cit.*, p. 110.

(Côtes-du-Nord) (1). Enfin les cultes d'Asie
Mineure nous fourniraient des exemples où
ce fut la forme de l'organe féminin *Mulla
ou Ctéis* qui suggéra l'idée de semblables in-
vocations. « Les Sémites affectionnaient les
bétyles, pierres coniques dont la forme imitait
celle du phallus dressé, tandis que la section
de la base rappelait le ctéis ; voyez le Bel-
Samin à Palmyre (2), Astarté à Paphos (3) » (4).

D'autre fois enfin, on est assez embarrassé
pour donner la raison qui dut pousser à ces
pratiques. Ainsi, je ne saurais dire pourquoi
les femmes des îles Banks emportent en leurs
lits certaines pierres dans l'espérance d'en être
fécondées (4). Peut-être sont-ce là des sortes
de pierres où résident des âmes d'enfants dont
l'idée rappellerait les *churingas* australiens.

« Chez ceux d'entre les Kaitish, où a cours
la croyance aux *churingas*, il existe un procédé magique particulier pour rendre une
femme enceinte : on porte un *churinga* jusqu'en un lieu où se trouve une certaine sorte
de pierre appelée *kwerka-punga* (enfant-
pierre), qu'on frotte avec le *churinga* tout en

---

(1) P. Cuzacq. *Loc. cit.*, p. 112.
(2) De Voguë. *Syrie Centrale*, p. 85.
(3) Tacite. *Hist.*, II, 3.
(4) L. G. Lévy. *La famille dans l'antiquité israélite*, Paris, 1905, in-8°, p. 47.
(5) Codrington R. H. *The Melanesians; Studies in their
Anthropology and Folklore*, Oxford, 1891, in-8°, p. 184.

priant le *maiaurli* qui y réside de pénétrer dans telle femme qu'on lui désigne » (1).

Il semble donc que le culte primitif des pierres, orienté par des circonstances diverses, donna naissance à une sorte de sacrement magique propre à procurer la fécondité. Le semblable engendre le semblable, la pierre dont la forme rappelait les organes de la conception, voire ceux de la nutrition de l'enfant fut censée étant donné son caractère divin, pouvoir combattre la stérilité.

Ces conceptions premières et les pratiques qu'elles comportaient survécurent dans différentes grandes religions qui absorbèrent les vieux cultes naturalistes. Mais, chose remarquable, tandis que les pratiques se perpétuaient d'une façon presque immuable, la mentalité des nouveaux dévots s'étant modifiée, les idées magiques perdant de plus en plus leur signification et leur clarté, des mythes naquirent, destinés à fournir aux mêmes gestes une explication nouvelle.

Nos contes de vierges ou de femmes ayant enfanté par le contact de ces pierres divines représentent un moment du rythme alternatif par lequel s'engendrent les rites et les mythes.

Il est très probable que les empreintes aux-

(1) A. Van Gennep. *Mythes et Légendes d'Australie*, Paris, 1905, in-8°, p. XLVIII-XLIX.

quelles font allusion les trois récits asiatiques que nous avons rapportés ne sont pas des cavités informes, mais de ces sortes de sculptures qu'on appelait Buddha-pàda (pieds de Bouddha).

Les Singhalais, les Birmans, les Siamois se vantent les uns et les autres de posséder une ou plusieurs empreintes du pied du Bouddha. Ces sortes de marques étaient à peu près innombrables chez les Singhalais. « Comme le Tathâgata (Bouddha) selon la tradition, avait visité la plus grande partie de la presqu'île, la crédulité des fidèles ou le charlatanisme des religieux signalait dans une foule de lieux les traces de son passage. C'était ordinairement sur des pierres qu'elles étaient empreintes, et la plus célèbre était celle du pic d'Adam, dans l'île de Ceylan, où le Boudha certainement n'est jamais allé. On l'appelait Çrêpâda ou Prahat, c'est-à-dire le pied bienheureux.

Le roi Açoka passait pour avoir fait élever des stoûpas dans tous les lieux où le Boudha avait laissé la trace de ses pas; et l'on conçoit dès lors comment la tradition avait pu porter le nombre de ces stoûpas à quatre-vingt-quatre mille, qu'on appelait aussi les quatre-vingt-quatre mille édits de la loi » (1).

(1) J. Barthélémy Saint-Hilaire. Le Bouddha et sa re-

M. L. Fournereau affirme que l'empreinte du Pic d'Adam était une cavité informe (1). M. L. Feer déclare qu'elle n'a été l'objet d'aucune étude (2). Mais Sir John Davy qui l'avait vue, écrivait à Sir Humphrey Davy, qu'il soupçonnait le pied bienheureux d'être un ouvrage de l'art (3).

De tous temps, cette empreinte fut l'objet d'un pèlerinage, non seulement des Çivaïtes qui la rapportent à Çiva, des Vichnouïtes qui l'attribuent à Rama, des Musulmans qui y reconnaissent le pas d'Ali ; mais des chrétiens qui y vénèrent le pas d'Adam ou de saint Thomas (4). D'après une inscription gravée sur le Buddhapâda de Sukhôdaya reproduite par M. Fournereau (5), ce dernier pas de

ligion, Paris, 1866, in-12, p. 295-296. — Fa-Hien, le pèlerin chinois (399-414 ap. J.-C.) admet sa.is hésiter, d'après les traditions locales que Fo, le Bouddha est venu à Sinhala, et qu'il y a laissé deux empreintes de ses pieds sacrés, l'une au nord de la ville royale et l'autre sur le fameux pic d'Adam qui a près de 2.000 mètres de hauteur. J. BARTHÉLÉMY SAINT-HILAIRE. Loc. cit., p. 321.

(1) LUCIEN FOURNEREAU. Le Siam ancien, Paris, 1895, in-4°, I, 243.

(2) L. FEER. Le Buddhapâda dans L. FOURNEREAU. Le Siam ancien, P., 1895, in-4°, I, 287.

(3) E. SALVERTE. Des Sciences Occultes, 1829, in-8°, I, 28.

(4) Bulletin de la Soc. des Antiquaires de France, 1892, p. 45.

(5) L. FOURNEREAU. Le Siam ancien, Paris, 1895, in-4°, pl. LXVIII.

Bouddha serait une copie du pied sacré du Pic d'Adam (1). S'il en était vraiment ainsi, ce qui est fort douteux, l'empreinte du Pic d'Adam serait un ouvrage de l'art analogue aux pieds gravés que l'on rencontre chez les Birmans et les Siamois.

L'empreinte birmane de Mea-day a été dessinée par le peintre qui accompagnait l'ambassade du major Symes. C'est un véritable tableau hiéroglyphique (2).

Nous connaissons quatre desseins d'empreintes siamoises : celle de Phra : bat, près de Lophaburi qui nous a été donnée par Baldaeus et le colonel Low (3) ; celle qu'a publiée Alabaster, en 1871, photographie du fac-similé conservé dans le grand temple Vât-phô, à Bangkok (4) ; celles qu'a reproduites M. Fournereau, toutes deux conservées à Bangkok, l'une déjà citée, conservée dans un kuti (cellule de moine) du Vât-Vang-nâ, l'autre dans le Mondob (ou pavillon) de la même pagode (5).

(1) L. FOURNEREAU. Loc. cit., I, p. 242-245 et 249-254.
(2) SYMES. Relation de l'ambassade anglaise envoyée dans le royaume d'Ava, Paris, an IX (1800). Atlas. pl. VI. Sur les figures ou signes de cette image, voir L. FEER, dans L. FOURNEREAU, loc. cit., I, p. 303-304.
(3) Transactions of the Royal Asiatic Society, T. III.
(4) ALABASTER. The Phrabat or siamése foot print of Buddha dans The Wheel of the Law, 1871, p. 92-112.
(5) L. FOURNEREAU. Le Siam ancien, T. I, pl. XXI et p. 103.

Ces divines empreintes sont fort différentes
les unes des autres soit par leur taille (l'une
d'elle mesure 1 m. 05 sur 0 m. 58), soit par les
nombreux signes dont elles sont ornées. Ces
signes, d'après une vie de Buddha publiée par
Alabaster, devraient être au nombre de 108.
Plusieurs d'entre eux et spécialement les principaux ont une signification solaire (1). Ils
donnent à penser que la plupart de ces empreintes sont d'origine liturgique. On a trouvé
à Lesbos et ailleurs sur des plantes de pieds
humains figurés en relief, des dédicaces qui
attestent que ce sont des ex-voto. M. Salomon
Reinach pense que les plus anciens monuments de ce genre servaient à commémorer
des Théophanies (2). Je crois que les pas du
Bouddha, presque tous primitivement attri-
bués à Vichnou (3) ont dû être gravés dans
une intention magique : les prêtres et les fi-

(1) GOBLET D'ALVIELLA. *La migration des Symboles*,
Paris, 1892, in-8°, p. 82. Sur les signes du Buddhapâda,
on doit voir L. FEER, dans L. FOURNEREAU, *Le Siam
ancien*, I, p. 290-309.
(2) S. REINACH. *Les monuments de pierre brute dans le
langage et les croyances populaires* dans *Revue archéologique*, 1893, 3° série, T. XXI, p. 338.
(3) SÉNART. *La légende du Bouddha* dans *Journal asiatique*, Paris, 1873, T. II, p. 278, et 1875, T. IV, p. 120-
121. — Les mythes du boudhisme dérivent, pour la plupart,
du Vichnoüisme populaire, cfr. E. SÉNART. *Les Origines
bouddhiques* dans *Conf. au Musée Guimet*, Paris, 1907,
in-12, p. 146.

dèles aux époques extrêmes de la course du
soleil venaient sans doute les fouler dans le
but de hâter les pas du fécondateur céleste (1).
Plus tard, dans les pèlerinages dont ils furent
l'objet, les femmes stériles vinrent y marcher
pour obtenir des enfants.

Il existe dans notre Bretagne un grand nombre d'empreintes de pieds de saints qui sont
un but de pèlerinages. Les habitants des environs du Croisic viennent encore rouler leurs
enfants sur un rocher où l'on remarque l'empreinte du pied de saint Goustan. Eux-mêmes
font trois fois le tour de la chapelle du saint
en portant leurs enfants sur les bras. Cette
double pratique réussit, paraît-il, à faire marcher les enfants tardifs (2). « A Ménéac, on
montre trois vestiges que les pieds de la sainte
Vierge ont imprimés sur une roche et quand
les petits enfants tardent trop à marcher, on
leur met les pieds dans ce creux » (3).

---

(1) Les trois pas de Vichnou dont parle la mythologie
védique, font sans doute allusion aux mouvements du soleil.
GOBLET D'ALVIELLA. *Loc. cit.*, p. 81. Certaines traditions populaires du jour de la Saint-Jean, permettent de supposer
qu'il s'agit des pas décisifs du soleil aux solstices ou aux
équinoxes.

(2) P. SÉBILLOT. *Petite Légende dorée de la Haute-Bre-
tagne*, Nantes, 1897, in-12, p. 29-30.

(3) P. SÉBILLOT, *Loc. cit.*, p. 42.

Le contact du pied-empreinte devait faire
marcher les enfants, c'est dans la logique de
la magie sympathique. Mais comment expliquer l'action fécondante des empreintes de
pied bouddhiques ? Nous l'avons déjà indiqué.
Ces monuments d'art représentent un moment
beaucoup plus tardif du culte rendu aux pierres, celui où il est associé déjà au culte du soleil.
Après avoir hâté les pas ou la naissance du
soleil, ils ont servi sans doute à rendre moins
tardives ou même à produire des naissances
humaines. C'est donc encore par un raisonnement analogique, digne du précédent, que
les dévots en sont venus à cette pratique. Enfin, des pèlerines princières ou royales ont cru
ou fait croire que le dieu dont elles avaient
foulé la trace, non seulement leur avait accordé
un fils, mais qu'il en était véritablement le
père. Au reste, un dernier fait va mettre hors
de doute la probabilité de la pratique bou-
dhique et par suite de toute cette déduction :

Près de la source de la Grœsbeeck à Spa,
il existe une empreinte du pied de saint Re-
macle. Les femmes stériles y vont faire des
neuvaines durant lesquelles elles rendent une
visite quotidienne à la châsse du saint et boivent chaque matin un verre d'eau de la Grœsbeeck. En buvant, elles doivent avoir soin de

placer leur pied dans l'empreinte du pied du
saint (1).

(1) WOLF. *Niederlandishe Sagen*, Leipzig, 1843, p. 227,
et *Bulletin de Folklore*, 1893, London, II, 82. Au village de
Fours, dans les Basses-Alpes, on appelait Pierre des épou-
sées un rocher de forme conique vers lequel le plus proche
parent du mari conduisait l'épouse après la cérémonie religieuse; il l'y asseyait lui-même, en ayant soin de lui faire
placer un pied dans un petit creux de la pierre que l'on disait avoir été pratiqué exprès, quoi qu'il soit fait par la
nature. C'est dans cette position qu'elle recevait les embrassements de toutes les personnes de la noce. GARCIN. *Dict.
de Provence*, T. I, p. 486. Le jeune homme ou la jeune fille
qui veut se marier dans l'année n'a qu'à placer son pied
dans l'empreinte du pied de saint Martin qui se voit sur
un rocher de la commune de Cinais, près de Chinon. P.
SÉBILLOT, *Le Folklore de France*, I, p. 404.

II

Les théogamies aquatiques et le culte des eaux

Parmi les tribus tartares, les Kirghises noirs
prétendent descendre d'une princesse qui se
serait trouvée enceinte pour s'être baignée
dans un lac. Cette innocente, chassée de sa
tribu aurait été recueillie avec son fils par le
khan d'une tribu voisine dont elle serait devenue l'épouse (1).

« Les Guèbres ou Gaures, raconte Tavernier, donnent trois enfants à leur prophète
Ebrahim (= Abraham ou Zoroastre) mais qui
ne sont pas encore de ce monde, bien que leurs
noms leur aient déjà été donnés. Ils disent que
ce prophète Ebrahim passant une rivière, mi-
raculeusement sans bateau, trois gouttes de
sa semence tombèrent dans l'eau et qu'elles
sont conservées là jusqu'à la fin du monde;

(1) GIRARD DE RIALLE. *Mémoire sur l'Asie centrale*, Paris, 1875, p. 80.

que Dieu enverra une fille fort chérie de lui
et que, par la réception de la première goutte
de la semence, elle deviendra grosse du premier enfant, qu'ils nomment par avance :
Oushider. Il fera son entrée dans le monde
avec grande autorité, fera recevoir la loi que
son père Ebrahim avait apportée et prêchant
avec éloquence, la confirmera par plusieurs
miracles. Le second qui s'apellera : Oushiderma, sera conçu de la même façon. Il se-
condera les desseins de son frère et, l'assis-
tant dans le ministère de la prédication pour
aller prêcher par tout le monde, fera arrêter
le soleil pendant dix jours pour obliger le
peuple, par ce miracle, à croire ce qu'il annon-
cera (1). Le troisième sera conçu de la même
mère comme les deux autres et s'appellera
Senoïet-Hotius. Il viendra au monde avec plus
d'autorité que ses deux autres frères, pour
achever de réduire tous les autres peuples à
la religion du prophète. Ensuite de quoi, se
fera la résurrection universelle » (2).

(1) Voltaire voyait dans Oushiderma le prototype de
Josué, cfr. *Introd. à l'Essai sur les mœurs,* art. *Abraham.*
On retrouve ces trois personnages sous d'autres noms dans
l'Avesta : C. DE HARLEZ. *Avesta,* Yest., XVIII, ch. XXVII,
§ 126, Paris, 1881, in-8°, p. 502. — RÉV. D' MILLS dans
Nineteenth Century, Jan. 1894, p. 51. — *The Sacred Books
of the East,* édit. by Max Muller, Oxford, 1874-94, T. IV,
p. LXXIX; V. 143 note, 144; XXIII, 195, 226, 307.
(2) TAVERNIER. *Voyages,* Rouen, 1724. T. II, p. 95-96.

Cette légende est déjà fort imprégnée d'esprit rationaliste : elle n'admet plus la fécondation par un simple bain, et il y faut une semence humaine : La conservation, dans l'eau, d'une semence animale nous paraît, il est vrai, aujourd'hui, presque aussi invraisemblable que le premier miracle; mais il n'en fut pas ainsi sans doute pour l'inventeur de notre conte. Aristote, dans ses *Problèmes*, rapporte qu'une femme fut fécondée pour s'être baignée dans une cuve d'où venait de sortir un homme. Albert le Grand (*De secretis mulierum*) ne met pas en doute la réalité du fait et il l'explique (1). Averroès rapporterait un fait analogue (2).

Peut-on rattacher ces légendes à d'anciennes pratiques rituelles? — Peu de cultes furent

(1) Je cite ici ces deux auteurs d'après DE CHARENCEY; mais je n'ai pu retrouver ni le passage d'Aristote, ni celui d'Albert le Grand. — En revanche, voici ce que je lis dans un petit volume intitulé : *Aristotelis aliorumque Problemata*, Amstelodami apud Janssonium, 1643, in-18, p. 99 : Averroès, secundum Colligat capite decimo, dicit : Fuit quædam puella in balneo, ubi sperma jactum fuit, et illa puella ab attractione seminis concepit et peperit.

(2) HARTLAND. *The Legend of Perseus*, London, 1894, in-12, I, 134-135, d'après BROWNE. Je n'avais pas sous la main le texte anglais de Browne, mais une traduction française de 1733. Je n'y ai pas trouvé la discussion de l'opinion d'AVERROÈS; mais elle a été examinée et défendue dans un curieux petit livre intitulé : *Arcana Microcosmi : or the hid Secrets of Man's Body discovered*, By A. R., London, 1652.

aussi répandus que le culte des eaux : il n'est
pas une source, pas une rivière, pas un fleuve
qui n'ait été considéré comme un dieu, et,
parmi les vertus divines qu'on leur attribuait,
en première ligne, était la fécondité. Sans eau,
les prairies, les champs, les bois, les forêts ne
sauraient vivre ; la sécheresse entraîne l'arrêt
de toute vie végétale. Que deviendraient sans
eau les bêtes et les hommes? L'eau est l'un
des principes essentiels de la vie. Elle n'a qu'à
tomber et à s'épandre pour qu'aussitôt l'on
voie l'herbe croître et couvrir la terre d'un ta-
pis de verdure, les champs prospérer, les arbres s'empanacher de feuilles et déployer la
houle verte de leurs cimes. Au spectacle éternel de cette admirable fécondité de la nature,
due presque tout entière aux mille sources des
eaux, toutes divines, comment les premières
âmes religieuses qui raisonnaient à peu près
exclusivement par analogie, n'eussent-elles pas
conclu que cette eau sacrée devait rendre fécondes les femmes aussi bien que les plantes ?

Au reste, il n'est pas nécessaire pour nous
de procéder inductivement dans cette recherche sur l'origine d'une telle croyance. D'innombrables pratiques anciennes et modernes
témoignent de cette confiance, en la vertu des
eaux. Au Panjab, les femmes sans enfants
vont se plonger dans le puits où fut jeté Pû-

ran, le Joseph du pays (1), convaincues que
ce bain les rendra grosses. Chez les anciens
Grecs, nombre de sources et de fleuves sont
réputés pour leur vertu contre la stérilité. Le
Dʳ Ploss cite divers auteur classiques qui réclament ce titre pour la rivière Elatus, la source
de Thespie dans l'île d'Hélicon, la source voisine du temple d'Aphrodite sur l'Hymette, et
les ·ources chaudes de Sinuessa (2). Au pied
d'une colline à Athènes existe un siège taillé
dans le roc, tout au bord d'une rivière. Les
femmes athéniennes s'y asseyaient, et, de là,
se laissaient glisser dans le ruisseau, en invo-
quant le secours d'Apollon pour les couches
prochaines (3).

En Troade, le fleuve Scamandre (4) avait
un temple et des sacrificateurs. Toutes les filles
du pays, la veille de leurs noces, se baignaient
dans ses eaux et lui offraient leur virginité.

---

(1) Ce puits est situé sur la grande route, entre Siâlkot et
Kalowât, cfr. TEMPLE (Captain R. C.), *The legends of the
Panjâb*, Bombay, sd., T. I, p. 2. — Sur Pûran, voir HAR-
TLAND. *The Legend of Perseus*, London, 1894, I, 106.
(2) PLOSS. *Das Weib in der Natur und Volkerkunde*,
Leipzig, 1891.
(3) BERENGER-FÉRAUD. *Traditions et Réminiscences populaires de la Provence*, Paris, 1886, in-8°, p. 201.
(4). Les anciens expliquaient par des légendes pourquoi ce
fleuve avait été ainsi baptisé, mais toutes insistaient sur le
caractère sacré qu'on lui attribuait. PLUT. *Questions grecques*, 41, et PSEUDO-PLUT. *Sur les dénominations des fleuves*, XIII, 1-4.

Que nous soyons en présence d'un rite de
fécondité, on en peut juger par les abus qui
se greffèrent sur cette superstition (1).

Les légendes confirment les mêmes pratiques en Asie. Dans la mythologie hindoue,
Parvati, épouse de Siva, justifie l'irrégularité
de sa propre naissance en disant qu'elle
est le fruit d'un bain et qu'elle naquit de Ga-
nesa, sans aucune autre intervention (2). En
Amérique, quelques tribus d'Algonquins expliquaient l'apparition de l'espèce humaine de
la plus curieuse façon. Deux jeunes femmes
(antérieures évidemment à l'apparition de notre
race) s'étant baignées dans la mer se trouvè-
rent enceintes l'une d'une fille, l'autre d'un
garçon, père et mère de tous les hommes (3).

---

(1) Une aventure qu'ESCHINE rapporte dans ses *Lettres*,
donne à penser que les prêtres, à l'occasion, jouaient ou
faisaient jouer le rôle du dieu qui était censé daigner parfois sortir de ses roseaux. Il prenait alors la jeune fille par
la main et la conduisait dans sa grotte. Voici d'ailleurs
son récit : « Callirhoé, jeune fille d'une rare beauté, était
allée, selon la coutume, offrir sa virginité à Scamandre.
Un jeune homme qui l'aimait depuis longtemps et sans
espérance, fit si bien par son stratagème qu'il reçut ce qui
était destiné au fleuve. Quelques jours après, Callirhoé
ayant aperçu dans la rue ce jeune homme, le montra à
ceux qui l'accompagnaient et dit ingénuement que c'était
là le fleuve Scamandre. Ce discours découvrit la fourberie
et le téméraire qui avait rempli l'office du dieu n'évita que
par une fuite rapide le châtiment qu' n lui destinait. »
(2) PLOSS. *Das Weib in der Natur und Volkerkunde*, Leipzig, 1891, p. 436.
(3) FEATHERMAN. *Social History of the Races of Man-
kind*, London, 1881-91, T. IV, p. 80.

Les hommes d'une tribu mentionnée par Garcilaso de la Vega déclaraient descendre de la mer (1). « De même que bien d'autres dieux ou héros Yehl a une naissance miraculeuse. Sa mère, une jeune femme thlinkit, dont les fils ont tous été tués, rencontre un dauphin bienveillant qui lui dit d'avaler un caillou et un peu d'eau de mer. La naissance de Yehl est le résultat de cette opération » (2).

Le vieux monde enfin, l'Europe, l'Asie, l'Afrique, nous offrent des pratiques semblables et des croyances qui ne sont pas moins explicites. « Dans la province de Fez, au Maroc, il y a un lieu sacré qu'on appelle : Aïn-el-Djenoun (la fontaine des génies) où se trouvent les ruines d'un temple païen, et où les musulmans continuent d'aller en pèlerinage. Les hommes s'y rendent pour faire œuvre pie ou assurer leur entrée au paradis; les femmes y vont pour avoir des enfants. Pendant les cérémonies qui ont lieu dans le jour, les deux sexes y sont rigoureusement séparés (sans doute à cause des bains); mais pendant les fêtes de la nuit, il y a une promiscuité qui fait qu'à un moment donné l'obscurité permet les

---

(1) A. LANG. *La Mythologie*, Paris, 1886, in-12, p. 48, d'après l'Histoire des Incas. D'autres références sur Yehl, dans HARTLAND. *The Legend of Perseus*, I, 112-113. — A. LANG. *Mythes, Cultes et Religions*, p. 368.
(2) A. LANG. *La Mythologie*, p. 106.

3.

rencontres les plus hasardées (1). Un cas parallèle est celui de la source Burmal er Raba
à Sidi Mecid, près de Constantine, en Algérie,
fréquentée à la fois par les Juives et les Maures
pour la guérison de la stérilité. Chaque femme
égorge un poulet noir devant la porte de la
grotte, offre en outre une petite bougie et un
gâteau de miel, prend un bain et part assurée
du prompt accomplissement de ses souhaits.
Il n'est pas douteux que nous ayons bien affaire ici à quelque survivance, puisque les sacrifices sont étrangers à l'Islam (2). La Nature divinisée est représentée chez les Yorubas
de la côte ouest-africaine par une femme enceinte, l'eau qui a séjourné dans son temple est
sacrée et très propre à assurer des enfants ou
à faciliter les couches laborieuses (3). Une
tradition des Zoulous rapporte que les filles
d'un roi s'étant baignées dans le creux d'une
rivière, la plus jeune d'entre elles, presqu'une
enfant, sortit de l'eau la poitrine aussi gonflée
que celle d'une femme. Sur l'avis du conseil
des anciens, elle fut chassée d'entre les siens
et après avoir erré d'une tribu à l'autre, elle

(1) Bérenger-Féraud. *Superstitions et Survivances*, Paris, 1890, in-8°, III, 344.
(2) Hartland. *The Legend of Perseus*, I, 168.
(3) Ploss. *Das Weib*, 436, 437, 438, 439.

mit au monde un fils qui devint un sage docteur (1).

« Près d'Altena, en Prusse, aux environs
du lieu nommé Klusa, se trouve la source
de Saint-Einhard, qui attire beaucoup de
pèlerins, le lundi de Pâques. Jadis, on attribuait à l'eau de cette source la vertu
de féconder les femmes. Une cérémonie religieuse donnait à cette idée une espèce de sanc-
tion ; mais aujourd'hui, on n'en parle plus
qu'en plaisantant » (2).

La cérémonie religieuse à laquelle fait allusion le Dr Coremans, semble s'être pratiquée
fort généralement en Gaule et en Germanie.
Elle avait lieu un peu avant ou un peu après
Pâques ; mais le plus souvent le quatrième dimanche du Carême. On se rendait aux fontaines en chantant l'introït *Lœtare Jerusalem*,
on buvait de leur eau, on cueillait les fleurs
de leurs bords : c'est ce que l'on appelait faire
ses fontaines (facere suos fontes) ou célébrer
le dimanche des fontaines (3).

(1) CALLAVAY. *Nursery Tales, Traditions and Histories of
the Zulus*, London, 1868, I, 335.
(2) Dr COREMANS. *La Belgique et la Bohême*, Bruxelles,
1852, in-8°, I, 55.
(3) J. QUICHERAT. *Procès de condamn. et de réhabilit.
de Jeanne d'Arc*, Paris, 1841, in-8°, table Vᵉ : *Fontaine.*
— DE MIRVILLE. *Des Esprits*, Paris, 1863, in-8°, I, 216,
note 2. — Cet auteur catholique justifie cette pratique par
des textes des pères, affirmant que les anges président à la
terre, à l'eau et au feu.

Lorsque les sources propres à faire cesser la
stérilité étaient accompagnées d'idoles ou d'autels païens, on s'est ordinairement contenté
d'attribuer à un saint la présidence et l'efficacité des anciens rites que l'on continua de pratiquer, mais désormais en son honneur.

« Dans un mur de l'oratoire de Gamay (commune de Saint-Sernin-du-Bois), bâti près d'une
source, est encastré un autel antique orné de
deux personnages, dont l'un représente un adolescent portant une coupe et l'autre une jeune
fille sortant de l'eau et essuyant sa chevelure » (1).

N'est-ce point là une représentation de la
scène rituelle qui avait lieu jadis dans la pis-
cine aménagée près du compitum (chapelle
ouverte) qu'on y a retrouvée? Tout porte à le
croire.

« On a décoré ces personnages de noms chrétiens et on les appelle saint Ploto et saint Freluchot. La chapelle (qu'on y a construite) est
sous le vocable du premier, et lorsqu'on s'y
rend en pèlerinage, on s'arrête à la fontaine
du bon saint qui porte aussi le nom de saint
Ploto et que les paysans ont surmonté d'un
crucifix. *Les villageoises grattent la statue de*

(1) Abbé L. MORILLOT. *Monuments du Paganisme en
Bourgogne*, dans *Bulletin d'Hist. et d'Arch. du diocèse de
Dijon*, 1891, p. 217.

saint Freluchot, recueillent la poudre prove-
nant du grattage et la mêlent à de l'eau qu'elles
boivent pour devenir fécondes » (1).

Une fontaine située près d'Orange avait la
propriété de mettre fin à la stérilité des femmes
qui buvaient de ses eaux. Et, chose remarquable, on vénérait dans une église de la même
ville (placée, je crois, sous le même vocable
que la fontaine) un énorme phallus de cuir
muni de ses appendices (2).

Dans certains temples de l'Inde, les prêtres
arrosent le linga (3) avec l'eau puisée dans le
Gange ou dans quelque autre rivière sacrée ;
l'eau, devenue ainsi doublement lustrale et bénite, est recueillie par les fidèles. Cette coutume existe encore aujourd'hui au Siam, pour

(1) ABBÉ L. MORILLOT, *Loc. cit.*, p. 218.
(2) Ce phallus était probablement un ancien ex-voto; il
ne fut détruit qu'en 1562, lorsque les protestants ruinèrent
l'église. *Confession de Sancy*, liv. II, chap. II. De nos
jours, les dévotes stériles continuent d'aller boire aux eaux
de la fontaine.
(3) Le *linga* est une image de l'organe viril, mais sans
prétention au réalisme... Il se rencontre partout dans l'Inde;
l'estimation populaire porte le nombre de ces images à
trente millions. La liste des douze principaux lingas varie
avec les pays et les sectes.
L'origine de ce culte phallique est très controversée. Des
missionnaires et des savants, choqués par ce qu'ils nomment
l'abominable obscénité du linga, ont à cœur d'en attribuer
l'origine aux peuplades anaryennes, en désaccord avec les

les cérémonies royales ; l'eau employée est quelquefois parfumée ; les fidèles s'en touchent le front et d'autres parties du corps, les fervents même la boivent (1).

Ce sont surtout les femmes qui vont adorer le linga et boivent l'eau sacrée dont on l'a arrosé, et il n'est pas douteux que ce soit tout spécialement dans un but d'obtenir progéniture : le linga symbolise en effet la puissance créatrice du dieu.

Ces quelques exemples témoignent suffisamment de la vertu fécondante que l'on a longtemps continué d'attribuer aux fontaines et aux eaux sacrées. La plupart du temps, le rite du bain avait été remplacé par celui de la coupe. Mais le premier s'est pourtant maintenu dans certains cas : Sainte Verena, pour s'être baignée dans le Verenenbad à Baden, dans l'Argau, lui a conféré par là même la

---

faits. Le linga est adoré tantôt seul, tantôt associé à la *yoni* qui représente l'organe féminin et symbolise l'énergie du dieu; cependant il est d'ordinaire érigé sur un socle circulaire à moulures fines qui représente la *yoni*. Une rigole de somasûtra (filet de nectar) creusée sur la *yoni* est destinée à recueillir et à déverser l'eau des ablutions.

D'ailleurs le linga, non plus que la yoni, n'éveillent chez les Hindous d'idée obscène et l'érotisme, si développé dans les sectes Vichnouites et tantriques n'a pas envahi au même degré toutes les branches du Civaïsme. » L. FOURNEREAU. *Le Siam ancien*, Paris, 1885, T. I, p. 122, note 1.

(1) L. FOURNEREAU. *Loc. cit.*, p. 123-124 et pl. XLI.

vertu de féconder les femmes qui s'y baignent
dans ce but (1).

Nul n'ignore qu'au jour de la Saint-Jean on
se baignait aux sources et aux fontaines
pour obtenir du saint les faveurs les plus diverses et en particulier la grâce de la fécondité (2). De très anciens rites solaires pratiqués en ce jour et sur lesquels nous n'avons
pas à nous arrêter ici, prouvent qu'on pensait
primitivement que le soleil, arrivé alors à son
apogée, devait avoir communiqué à toutes les
sources une vertu prolifique merveilleuse.

L'Eglise essaya tout d'abord de supprimer
le vieux rite du bain et d'anéantir, avec cette
pratique, les diverses croyances païennes qui
en fournissaient l'explication. Voici dans ce
but l'histoire qui avait été imaginée. Comme
la veille du 24 juin on allumait de grands feux
où l'on jetait toutes sortes d'objets impurs,
l'Eglise laissait croire que c'était afin d'incom-
moder, par leur fumée épaisse, les dragons

(1) KOHLRUSCH. *Schweizerisches Sagenbuch*, Leipzig, 1854-
56, I, 324. La tradition tenait bon pour la nécessité du
bain. La mère du héros gaélique Aedh Slaine but inutilement d'une eau bénie à fin de fécondation, elle ne put obtenir un fils avant de s'en être lavée. HARTLAND (E. S.).
The Legend of Perseus, I, 117, 118; 169. Dans certains
contes, on voit employer à la fois le rite du bain et celui
de la coupe. A. LANDES. *Contes Tjames*, Saïgon, 1887,
in-8°, p. 9.
(2) Von WLISLOCKI. *Wolksgl. Siebenb. Sachs.*, 75, 152.

volants qui emplissaient l'air à cette époque.
« Excités au plaisir par la chaleur de la saison,
affirme Durand, ils laissaient souvent tomber
leur sperme (spermatizabant) dans les puits et
les fontaines ; ce qui corrompait les eaux » (1).
N'était-ce pas autoriser à entendre qu'en se
baignant ce jour-là les femmes risquaient d'enfanter non point par la grâce de Saint-Jean,
mais de la semence de quelque démon ?

Mais il ne semble pas que ce conte ait produit l'effet qu'on en espérait. En certains lieux,
on avait préféré christianiser l'ancienne coutume tout en s'efforçant comme ailleurs de
remplacer le rite du bain par celui de la coupe.
Sur l'extrême frontière du département de
l'Allier, dans la commune de Saint-Janvier,
(arrondissemnt de Montluçon) il existe un oratoire de saint Jean et saint Remi. Le 23 juin,
les femmes infécondes, les jeunes gens des
deux sexes, s'y rendaient jadis de trois à quatre lieues à la ronde. On y passait la nuit pêle-
mêle dans le désert. Le lendemain 24, on faisait des stations, des offrandes et on buvait le
saint vinage. Ce breuvage, composé de l'eau
de la fontaine de Saint-Jean et d'un peu de

---

(1) Durand. *Rational*, L. VII, ch. XIV, Trad. Barthélémy, V, 62-63.

vin, passait pour un puissant agent de fécondité (1).

Après tous ces exemples, personne ne doutera que les païens aient jadis attribué au rite
du bain, et, spécialement en certain jour de
l'année, une vertu fécondante. Il est donc très
légitime d'admettre que les deux légendes que
nous avons rapportées au début de ce chapitre
ne sont que des exégèses tardives de pratiques
analogues. Le rite n'a-t-il point pour effet ordinaire d'engendrer des mythes ?

(1) DULAURE. *Des divinités génératrices*, 2ᵉ éd., Paris,
1825, in-8°, p. 287-288. Le Saint Vinage n'acquérait toute
sa vertu que par la bénédiction d'amour de saint Jean
l'Evangéliste et à condition qu'elle eut été prononcée par un
prêtre.

III

Pratiques fécondantes du culte des plantes
Totems végétaux
Théogamies phytomorphiques

Totémisme. — Les sociétés sauvages sont fondées sur une croyance qu'on appelle le totémisme (1). Leurs membres ne voient pas de démarcation bien nette entre les êtres animés et les choses inanimées ; aussi n'hésitent-ils pas à imaginer des liens de parenté entre eux et les objets les plus divers. Ils considèrent

(1) Sur le totémisme on peut consulter : E. B. TYLOR. *La civilisation primitive*, Paris, 1878, in-8°, II, 245-275. — A. REVILLE. *Les Religions des peuples non civilisés*, Paris, 1883, in-8°, I, 242 et suiv. — J.-G. FRAZER. *The Golden Bough*, 1890, II, 350-358. — A. LANG. *Mythes, Cultes et Religions*, Paris, 1896, in-8°, p. 57 et suiv. — J.-G. FRAZER. *Le Totémisme*, Paris, 1898, in-12. — E. DURKHEIM. *Sur le Totémisme* dans *Année Sociologique*, T. V, Paris, 1902, in-8°. — S. REINACH. *Mythes, Cultes et Religions*, Paris, 1905, in-8°, I, p. 9-85. — J.-G. FRAZER. *The Beginnings of Religion and Totemism among the Australian aborigines* dans *Fornightly Review.*, juillet-septembre 1905, p. 151-162, p. 452-467. — A. LANG. *The secret of Totem*, London, 1905.

comme leurs frères, leur père ou leur mère, les
animaux, les plantes, le soleil, la lune et les
étoiles, le vent et la pluie, et d'autres êtres
même dont la parenté avec nous semble encore,
s'il est possible, plus étrange. Il ne faut point
croire toutefois que ce soit là une extension de
la famille à tous les êtres de l'univers à la fois.
Chaque clan a son totem, auquel il est étroitement allié. Parfois le même clan a plusieurs
totems ; mais le nombre en est ordinairement
fort limité.

Plantes anthropogéniques. — Cette croyance
étrange d'où découlent la plupart des règles
sociales du mariage et de la vie familiale chez
les primitifs a naturellement fait inventer des
filiations extraordinaires : c'est d'elle que dérive l'idée des arbres anthropogéniques ou producteurs d'hommes.

« Une épigramme grecque de Zona nous apprend que les anciens Hellènes appelaient les
chênes *premières mères*... En Allemagne, les
petits enfants se croient sortis d'un arbre creux
ou d'une vieille souche. Mais tous les arbres
ne sont pas, d'après la tradition populaire,
également propices à la génération des hommes ;
ces arbres doivent avoir un caractère à peu
près sacré... Dans le *Bundehesh* (1), le pre-

(1) *The Bundahesh*, ch. XV, 2; WINDISCHMANN. *Zooras-
triche Studien*, p. 212.

mier couple Mashya et Mashyâna serait né
sous la forme d'un pied de rhubarbe — rivâs
(Rheum ribes); — dans l'*Edda*, ils sortent du
frêne et du tremble ; dans le Vishnu purâna (1),
une nymphe est appelée fille des arbres (2).

Au quatorzième siècle, Odoricus de Frioul,
en arrivant dans le Malabar, entendit parler
de certains arbres qui, au lieu de fruits, produisaient des hommes et des femmes. Le colonel
Yude a trouvé la même tradition chez les Arabes » (3). Parmi les tribus de Melbourne, on
raconte que le premier homme naquit du mi-
mosa (4).

En France, les enfants pensent être sortis
d'un chou ; on peut dire de ce légume qu'il fut
leur père. Les petits Anglais descendent du
persil (5).

Origine du totémisme. — Ces idées mythiques de filiation et de paternité entre hommes
et végétaux supposent évidemment une singulière théorie de la conception ; mais cette théorie elle-même dérive-t-elle du totémisme ou
bien l'a-t-elle engendré ? S'il fallait en croire
M. Frazer, dont l'autorité est grande, le to-

(1) *Vishnupurâna*, 15.
(2) A. DE GUBERNATIS. *Mythologie des Plantes*, I, 39-40.
(3) A. DE GUBERNATIS. *Mythologie des Plantes*, I, 42.
(4) A. VAN GENNEP. *Mythes et Légendes d'Australie*, Paris, 1905, in-8°, p. 14.
(5) HARTLAND. *The Legend of Perseus*, I, 154, note 1.

témisme tout entier dériverait d'une fausse idée
de la conception. La mère, chez le primitif,
ignorant la cause réelle de la grossesse, l'attribue à son alimentation ; l'être qu'elle conçoit,
c'est celui qu'elle a mangé, de là ce caractère
des totems d'être, pour la plupart, des objets
comestibles (1). Cette manière de voir a un défaut capital. C'est de supposer (car rien n'est
moins démontré) que les tribus telles les
Aruntas d'Australie où l'efficacité propre du
coït semble inconnue, représentent le stade le
plus arriéré de l'humanité vivante (2). Elle en
a un autre qui me semble non moins grave.
On suppose, en effet, comme certain que les
Aruntas ignoraient l'efficacité du coït ; mais
rien n'est moins prouvé. C'est peut-être le cas
d'un individu isolé ; mais ce ne saurait être
celui de la majorité de cette tribu du centre.
Elle est avoisinée à l'est, au nord, au sud et
au sud-est de tribus qui sont très renseignées
à ce sujet. Une tradition Dieri sur l'origine des
hommes se termine par ces mots : Enfin, il
leur fit des organes sexuels pour assurer leur

(1) J.-G. FRAZER. *The beginnings of Religion and Totemism among the Australian Aborigines* dans *Fortnightly
Review*, juillet-septembre 1905, p. 456. Cette théorie à laquelle bien auparavant inclinait M. HARTLAND, *Loc. cit.*, I,
72, 148, 180-181, a été adoptée par A. VAN GENNEP, cfr.
Mythes et Légendes en Australie, p. LXII et p. XCVIII.
(2) MARCEL MAUSS. *Compte Rendu de Fraser* dans *Année Sociologique*, T. IX, Paris, 1907, in-8°, p. 225-226.

race (1). La tribu de la rivière Proserpine conte
que les parties sexuelles mâles ont été faites
de racine de Pandanus (2) ; or, nous savons
par ailleurs que la même tribu est persuadée
que l'introduction de la racine de Pandanus
dans le sein d'une femme la rend enceinte (3).
Nous pourrions relever chez les mythographes
de l'Australie vingt autres témoignages ...
logues.

Comment serait-il possible que les Aruntas
ignorent la valeur du coït, alors qu'ils sont en
perpétuelles relations avec des tribus qui la
connaissent ?

Enfin, les totems non comestibles sont fort
nombreux et nul n'oserait essayer d'établir
que ceux-ci sont tous postérieurs aux totems
comestibles et copiés sur ceux-là.

Quelle que soit l'origine du totémisme, il
ne me paraît pas douteux qu'il soit antérieur
aux croyances relatives aux naissances surnaturelles, ou tout au moins qu'il en soit indé-
pendant.

Dans l'hypothèse de MM. Hartland, Frazer
et Van Gennep, les pratiques dont on atten-

(1) A. Van Gennep. *Mythes et Légendes d'Australie*, p. 10.
(2) A. Van Gennep. *Mythes et Légendes d'Australie*, p.
11 et note 2.
(3) A. Van Gennep. *Mythes et Légendes d'Australie*, p.
LII-LIII.

dait qu'elles fécondassent la femme devraient
être surtout des actes de manducation. Il est
loin d'en être ainsi. Nombre de rites de fécondation ne consistent qu'en un simple contact (1)

L'explication de ces faits est rendue bien
plus facile si l'on admet l'antériorité du totémisme. Il est temps, d'ailleurs, de revenir à
l'étude précise des fécondations végétales.

Je ne nierai pas, certes, l'existence des nombreuses pratiques fécondantes de manducation.
Chez les anciens Mèdes, Perses et Bactriens,
le jus du divin soma était ordonné pour faire
cesser la stérilité, avoir de beaux enfants et une
sainte descendance. Ainsi serait né Zoroastre (2). D'après Pline, les druides prétendaient
que l'eau du gui féconde les animaux qui en
boivent (3); la tradition veut qu'elle ait rendu
les mêmes services aux femmes (4). Le gui devait tenir cette vertu du chêne considéré comme
un arbre anthropogénique. Les femmes hin-

---

(1) Dans certains cas même on se tient à distance, il suffit
d'atteindre le totem ou la statue divine à coups de projec-
tiles. On en trouvera divers exemples dans HARTLAND.
Legend of Perseus, 1894, I, 176.
(2) PLOSS. *Das Weib in der Natur und Volkerkunde*,
Leipzig, 1891, I, 431. — *The Sacred Books of the East*
edited by Max Muller, Oxford, 1879-1874. T. V, p. 187.
(3) *Pline*. H. N., L. XVI, ch. XLIV.
(4) *Académie Celtique*. Mem. n° 15, p. 331. *Meddyon
Myddfai*, The Physicians of Myddwai, Llandovery, 1861,
p. 269.

doues mangent de petites boulettes de riz pour
obtenir des enfants (1).

Mais encore une fois il ne faut point croire
que tous les rites de fécondation où les végétaux jouent un rôle, impliquent la manducation. « Les néo-calédoniens qui désirent avoir
des enfants, s'adressent au sorcier. Celui-ci
leur vend une informe poupée (sans doute
quelque racine grossièrement taillée) qu'il leur
conseille de mettre à coucher avec eux roulée
dans leur natte. Le moyen, dit-on, réussit souvent... Si le vœu est exaucé, la femme attache
cette poupée comme un ex-voto dans l'intérieur
de sa case ou à l'avant de sa pirogue » (2).

Sentir l'odeur d'une fleur a suffi souvent à
une femme pour qu'elle devînt enceinte, la remarque est de M. Hartland. C'est ce qui
arriva à la fille d'Abraham, pour avoir respiré
une fleur de l'arbre de la Science du Bien et
du Mal (3).

L'arbre ou la plante qui avait engendré les
hommes d'un clan, contenait évidemment une
vertu prolifique incomparable. Et cette conception entraînait presque nécessairement cette

(1) W. A. CLOUSTON, in Burton, III. *Suppl. Nights,*
576, citant *Indians N. and Q.*
(2) Dʳ J. PATOUILLET. *Trois ans en Nouvelle Calédonie,*
Paris, 1872, in-12, p. 90.
(3) HARTLAND. *The Legend of Perseus,* London, 1894,
in-12, I, 125.

4

autre : Celui ou celle qui a produit la race,
doit être capable de rendre leur vigueur à
quelqu'un de ses membres épuisés. Les exemples d'une telle induction sont nombreux.

Certains voyageurs italiens ont observé
dans le Guzerate, un usage fort curieux. On
conduisait les jeunes mariées à un arbre sacré
auquel elles étaient censé offrir les prémices
de leur prochaine union (1).

Lorsqu'un couple, de jeunes époux va en
pèlerinage à la Sainte-Baume pour avoir des
enfants, il faut en entrant dans la forêt que
le mari et la femme embrassent le premier tronc
de gros chêne qu'ils rencontrent, en deman-
dant mentalement à Sainte Magdeleine de leur
accorder progéniture (2).

A Aix, au quartier de la Touesse, le jour de
la fête champêtre, après chaque contredanse,
le danseur conduit sa danseuse à un certain
olivier, qu'elle doit heurter trois fois avec son
derrière. Les jeunes filles s'assurent ainsi un
mari et les jeunes femmes les joies de la maternité (3).

(1) PIETRO DELLA VALLE. *Voyage,* cité par A. DE GUBER
NATIS. *Mythologie des plantes,* I, 41.
(2) BÉRENGER-FÉRAUD. *Superstitions et Survivances,* II,
182. On explique les échecs en disant qu'il n'y a qu'un
chêne qui soit le bon et que sans doute ce n'est pas celui-là
que les quémandeurs ont embrassé.
(3) BÉRENGER-FÉRAUD. *Superstitions et Survivances,* II,
177.

L'arbre qui est l'objet de telles pratiques, le doit parfois à sa forme singulière, tel est le cas du châtaignier de Collobrières sur les racines duquel allaient glisser les femmes désireuses d'enfants (1).

Les embrassements, les heurts, les glissades, ne sont point les seules façons de transfuser la vertu de l'arbre fertilisateur. Lorsqu'il s'agit du bétail, on opère de façon plus énergique. En beaucoup d'endroits, on le frappe avec une branche de frêne, de sorbier, de sureau, de noisetier ou de bouleau (2).

Les premières idoles qu'ébauchèrent les hommes étaient des sortes de pieux auxquels on ajouta une tête d'homme et fort souvent, à une distance convenable, les organes de la virilité. Un des moyens d'obtenir progéniture, était d'aller sacrifier à ces dieux de bois, demi-arbres et demi-hommes. Dans certains cas, on en vint même à mimer l'offre des prémices du mariage. Les Pères de l'Eglise sont fort explicites au sujet des pratiques romaines. « Parlerai-je de ce Mutinus, dit Lactance, sur l'extrémité duquel les nouvelles mariées viennent ·

_____

(1) Bérenger-Féraud. *Superstitions et Survivances*, II, 177. Ce châtaignier porte au-dessous d'une maîtresse branche rompue, deux bosses globuleuses qui lui donnent une apparence phallique.

(2) Schoebel. *Le Mythe de la femme et du serpent*, Paris, 1876, in-8°, p. 51.

s'asseoir, afin que le dieu paraisse avoir le premier le sacrifice de leur pudeur » (1) et Arnobe
s'adressant aux époux, s'écrie : « Ne condui-
sez-vous pas avec empressement vos femmes
auprès de Tutunus et pour détruire de prétendus ensorcellements, ne les faites-vous pas
enjamber l'horrible et immense phallus de
cette idole ? (2).

Ces notions préliminaires établies, nous pouvons essayer d'expliquer, sinon la genèse complète, au moins les attaches premières des récits de théogamies végétales.

De toute cette catégorie de contes, un premier groupe semble avoir pour type une des
incarnations de Bitiou, l'un des héros du fameux conte égyptien intitulé : *Les deux frères.*

Le Pharaon s'étant épris de la compagne
de Bitiou, la fit prier d'accepter d'être sa favorite. Elle accepta, quitta son mari ; mais craignant de voir apparaître le mari trompé, elle
demanda à son nouveau Seigneur de faire couper l'acacia sur lequel elle savait que reposait
le cœur de son époux.

---

(1) Lactance. *Div. Instit.,* I, 20.
(2) Arnobe, IV, p. 131; même chose dans Saint Augustin : In celebratione nuptiarum, super Priapi scapum, nova
nupta sedere jubilatur. — *De Civit. Dei.,* VII, 24, cfr.
même livre IV, 11 et VI, 9. — Nous voyons dans la Guyane
anglaise un simple tronçon de branche d'arbre jouer le
même rôle. Hartland. *The Legend of Perseus,* London,
1894, I, 128.

L'acacia coupé, le cœur de Bitiou tomba et
Bitiou mourut. Mais Anoupou, son frère,
averti de sa mort par un intersigne, accourt au
val de l'acacia où il découvre la graine qui
n'était autre chose que le cœur de son frère,
la ramasse et la met dans une tasse d'eau qu'il
fait boire au cadavre : Bitiou fut ainsi rendu
à la vie.

Lorsqu'ils se furent réjouis et embrassés,
Bitiou se change en un taureau, portant toutes
les marques d'Apis le taureau sacré. Il ordonne
alors à Anoupou de le conduire au Pharaon.
Le souverain enchanté de posséder cet animal
divin, comble Anoupou de présents et donne
ordre de laisser le taureau aller et venir à son
gré.

Mais un jour, le taureau sacré ayant pénétré dans le harem de sa Majesté, s'approche de la favorite et lui fait savoir qu'il est
Bitiou, son mari. Dans sa frayeur, elle pro-
fite d'une visite amoureuse du Pharaon pour
lui demander la mort du taureau. Sa Majesté
en fut malade de regrets. Mais après avoir
ordonné une grande fête d'offrandes en l'honneur du taureau, Elle le fit sacrifier. Tandis
que l'animal se débattait dans la mort, deux
gouttes de sang de son cou tombées de chaque
côté du perron du palais donnèrent naissance
à deux grands perséas.

Informé de la naissance de ces arbres miraculeux, le Pharaon voulut les voir ; la favorite le suivit, et ils s'assirent chacun sous l'un des perséas. Mais aussitôt, le perséa qui abrite la favorite s'incline, lui révèle qu'il est une nouvelle incarnation de Bitiou, et lui reproche son ingratitude. Plus effrayée encore, elle prie son Seigneur de faire couper les perséas. Il l'écoute et consent. Comme cette mauvaise épouse regardait la hache frapper ces plantes surnaturelles, un copeau s'envola, entra dans sa bouche et elle s'aperçut qu'elle concevait.

Elle mit au monde un enfant mâle qui fut considéré comme le fils du Pharaon. Mais quand sa majesté mourut, son fils putatif, Bitiou, car c'était encore lui, hérita du trône, mit en jugement celle qui avait été tour à tour sa femme et sa mère et fit de son grand frère son futur héritier (1).

Avant tout commentaire, on me permettra de citer un conte analogue tiré de Pausanias.

« Si on en croit les Galates de Pessinunte, Jupiter eut un songe impur et la terre mouillée de la semence de ce dieu devint féconde et pro-

(1) Ce récit est résumé d'après MASPÉRO. *Les Contes populaires de l'Égypte ancienne*, 3ᵉ éd., Paris, in-8°, p 12-19.

duisit un génie de figure humaine qui avait les
deux sexes. On le nomma Agdistis. Les dieux,
épouvantés à la vue de ce monstre, lui arra-
chèrent les organes virils et les jetèrent à
terre, il en naquit l'amandier. Cet arbre ayant
donné du fruit dans la saison, une nymphe,
fille du fleuve Sangar, voulut en manger; elle
cueillit les amandes et les mit dans son sein;
aussitôt les amandes disparurent et la nymphe
se sentit grosse; elle accoucha d'un fils que
l'on exposa dans le bois et qui fut nourri par
une chèvre. Il eut nom Attis » (1).

Dans une autre version de la même légende
qui nous a été conservée par Arnobe (2), l'a-
mandier est remplacé par un grenadier, et
Nana substituée à la fille de Sangar; mais le
thème essentiel demeure le même.

Une légende du Moyen-Age qui se rattache
à la légende de Tristan et Iseult, semble un
écho à peine modifié de ces diverses traditions.
En voici le sujet : Iseult veut voir Tristan que,
dans un transport de jalousie, le roi Marc a
blessé d'un grand coup de lance. Les deux
amants versent des larmes abondantes et de
ces larmes naquirent les lis (3). « Chaque

(1) PAUSANIAS. *Voyages*, VII, 17.
(2) ARNOBE. *Adv. Gentes*, V, 5-7.
(3) Ce trait même sous cette forme est très répandu en
Egypte : « Les larmes tombées des yeux de Shou, le fils
et de Tefnet, la fille du Soleil, se changèrent en arbres qui

femme qui en mange, nous dit la légende,
se sent aussitôt grosse et la reine Iseult en
mangea pour son malheur » (1).

Dans toutes ces traditions, une plante naît
du sang ou des larmes d'un homme, et cette
plante, en pénétrant dans la bouche ou dans
le sein d'une femme, la fait aussitôt concevoir.

Appliquons ici encore l'hypothèse qui consiste à rattacher de telles légendes à des rites
anciens.. Les p ntes qui figurent dans ces
récits peuvent-elles être considérées comme des
plantes sacrées dont les fruits ou même quelque
autre partie furent censés pouvoir, grâce au rite

produisent de l'encens. Quand le soleil faiblit et qu'il trans-
pire, la salive qui de sa bouche dégoutte sur la terre fait
naître autant de papyrus. La sueur de Nephtys donne de
même naissance à la plante *tas* (cinnamome?). Baba-Ty-
phon, au contraire, saigne-t-il du nez, son sang se change
en une plante qui devient un cèdre et produit l'essence de
Térébinthe. » CH. JORET. *Les plantes dans l'Antiquité et
au Moyen-Age*, 1897, in-8°, I, 259. D'après THÉOCRITE, le
pavot doit son origine aux larmes de Vénus pleurant Adonis.

En Allemagne, on racontait que la mandragore naissait
sous les gibets, lorsqu'il arrivait à un pendu de lâcher de
l'eau. GRIMM. *Les Veillées allemandes*, Paris, 1838, in-8°,
I, 159. Dans la légende du prince de Tréguier, un cerisier
naît du sang du prince transformé en cheval et mis à mort
sur l'ordre de sa femme. Au reste, ce dernier conte rappelle
beaucoup l'histoire de Bitiou. D'une cerise de ce cerisier
que la mauvaise épouse a fait abattre, naît un bel oiseau
qui reprend tout à coup la forme humaine. C'est le prince
de Tréguier qui enfin rend justice à sa femme par un grand
coup d'épée. F. M. LUZEL. *Contes populaires de la Basse-
Bretagne*, Paris, 1887, III, 274-276.

(1) C⁰⁰ DE PUYMAIGRE. *Les vieux auteurs castillans*, Paris,
1862, in-8°, T. II, p. 355.

de la manducation, mettre un terme à la stérilité?

Des perséas. — Dans le personnage de Bitiou, tous les égyptologues ont reconnu Osiris ;
le perséa, d'après Schweinfurth le *mimusops
Schimperi,* était consacré à Osiris. Il y avait
un perséa de chaque côté de l'entrée du temple
de Deir-el-Bahari, et Naville a encore trouvé
des troncs d'arbres desséchés aux points où
Wilkinson avait marqué sur son plan des
bases d'obélisques » (1).

Nous savons aussi qu'Osiris était primitivement un dieu de la végétation et qu'on lui
offrait des semis de blé connus sous le nom
de jardins d'Osiris.

Dieu de la fécondité végétale auquel le perséa et le blé étaient spécialement consacrés, il
fut tout naturellement conçu comme dieu de
la génération et, par suite, devint l'objet de
pratiques rituelles propres à obtenir une sorte
de participation à sa fécondité. L'une des plus
primitives fut sans doute celle que nous laisse

---

*(1) MASPÉRO. *Contes de l'Egypte ancienne,* p. 17, note
1. — D'après Plutarque, cet arbre était consacré à Isis et
à Osiris et il en donne pour raison singulière que son fruit
ressemble à un cœur et sa feuille à la langue. *De Iside et
Osiride,* cap. 68. — Dans une peinture reproduite par
WILKINSON, on voit Isis-Hathor versant du milieu des ra-
meaux d'un perséa, à une âme altérée, l'eau qui lui rendra
sa force et sa vigueur premières. WILKINSON. *The manners
of Ancient Egyptians,* T. III, pl. XXVIII, p. 118.

entrevoir le conte égyptien : la manducation
du blé ou du perséa.

Ce thème n'est pas sans analogue (1) et nous
trouvons en Afrique, chez les Hottentots, une
double légende de leur héros Heitsi-Ebib qui
semble apparentée au conte égyptien.

« D'après la première version, une jeune fille
ayant avalé le jus d'une plante grasse, d'une
saveur douceâtre, appelée *Hobega*, se trouva
tout à coup enceinte, sans avoir eu commerce
avec aucun homme. Elle donna le jour à un fils
qui fut appelé Heitsi-Eibib. Il était d'une force
prodigieuse et parvint en peu de temps à l'âge
viril.

Suivant d'autres, une vache, pour avoir
brouté d'un certain gazon, devint pleine et mis
bas un veau, lequel incontinent se transforma
en un très grand taureau (Bitiou s'incarna
aussi dans un taureau sacré) (2). Un jour, les

(1) Dans une légende galloise, Céridwen poursuit Gwion;
l'un et l'autre recourent à des transformations successives;
finalement Gwion se change en un grain de blé; Céridwen
se change alors en poule et avale le grain de blé, elle est
aussitôt fécondée. MABINOGION cité par H. HUSSON. *La
Chaîne traditionnelle*, Paris, 1874, in-12, p. 94.
(2) Le rapprochement que j'ai institué dans cette paren-
thèse présente un grand intérêt, car on admet aujourd'hui
que les Hottentots furent au nombre des peuplades qui cons-
tituèrent les populations égyptiennes préhistoriques. « Si l'on
en croit le Dr Fouquet, l'indice céphalique des crânes re-
trouvés dans les tombes les plus anciennes rapproche la
race de Négadah des Hottentots et des Cafres. De plus, les
statuettes stéopygiques dénoncent également un groupe

hommes de la tribu se mirent à la poursuite de cet animal qu'ils voulaient tuer. Lorsqu'ils se furent approchés de lui, ils ne l'aperçurent plus. A sa place se trouvait un homme occupé à faire un bouquet. Ce dernier n'était autre chose que le même Heitsi-Eibib, dans lequel tout le monde se plut à reconnaître une métamorphose du taureau merveilleux » (1).

Mais passons à l'histoire d'Agdestis. Cet ancien monstre hermaphrodite, réduit à n'être qu'une femme, n'était certainement qu'une forme de Cybèle; et non moins certainement, ainsi qu'à Cybèle, l'amandier et le grenadier lui étaient consacrés.

L'*amandier* a une floraison précoce et comme

d'origine hottentote. » A. MORET. *L'Egypte avant les Pyramides*, dans *Revue de Paris*, 1907, in-8°, p. 405. — En nquant une autre fable hottentote à la précédente, on peut reconstituer presque totalement l'histoire de Bitiou. La voici : « Une mère désespérée, dont un lion avait tué la fille, recueillit le cœur de la jeune victime et le plaça dans une calebasse. Elle remplit le vase du premier lait de toutes les vaches qui venaient de vêler : au bout d'un certain temps le cœur se mit à tressaillir et à se développer : il prit la forme d'un enfant et l'enfant grandit et la calebasse s'agrandit dans les mêmes proportions; enfin, la jeune fille fut rendue à sa mère telle qu'elle avait été auparavant. BLEEK, *Hottentot fables*, cité par HUSSON. *La Chaîne traditionnelle*, Paris, 1874, in-12, p. 94.

(1) CHARENCEY. *Le Folklore dans les Deux Mondes*, p. 164, d'après QUATREFAGES. *Croyances et Superstitions des Hottentots et des Boschimans*, dans *Journal des Savants*, 1885, p. 728. — Même chose dans TH. HAHN. *Tsuni-Goam the Supreme Being of the Khoi-Khoi*, Londres, 1881, p. 68.

tel, les Hébreux en faisaient le symbole de
la vigilance, car il est le premier à annoncer
le printemps. Mais son fruit, comme celui de
la noix ou de la noisette(1), a toujours eu une
signification phallique. Les amandes continuent à être utilisées dans les usages de noce,
en particulier chez les Tchèques (2).

Les nombreuses graines du *grenadier* l'ont
fait adopter, dans la symbolique populaire,
comme le représentant, de la fécondité, de la
génération et de la richesse. Dans la forme de
la grenade ouverte, on croyait reconnaître celle
de la *vulva*. C'est pourquoi Pausanias, après
avoir dit que la déesse Héra tenait une grenade à la main, ajoute qu'il ne veut pas dé-
voiler le mystère qui se cache sous ce fruit
symbolique (3).

N'est-on pas fondé à supposer que la manducation de l'amande ou de la grenade, accompa-

---

(1) Dans l'Autunois, on dit encore, je l'ai entendu : *année de noisettes, année de put....;* ce qui signifie sans doute
que les filles venues au monde une année où la récolte
des noisettes est abondante, auront un riche tempérament;
ou bien que, dans ces années, les naissances d'enfants
naturels seront fort nombreuses.

(2) A. DE GUBERNATIS. *La Mythologie des Plantes*, Paris,
1882, II, 9.

(3) A. DE GUBERNATIS. *La Mythologie des Plantes*, Paris,
182, I, 167. Les contes dans lesquels la grenade, voir la pomme
ou l'orange jouant un rôle fécondant ne sont point rares, on en
verra un grand nombre dans HARTLAND. *The Legend of
Perseus*, London, 1894, in-12, I, p. 79-82; p. 108.

gnée de prières à Cybèle ou Agdestis pouvait
rendre fécondes les femmes stériles et que
toute cette histoire n'est qu'une tardive exégèse de ce rite?

Tout d'abord, il paraît difficile de justifier
ainsi le rôle prêté au lis dans la romance d'Iseult.
Cette plante, bien loin d'être le symbole de la
fécondation, n'est-elle pas l'emblème tradition-
nel de la pureté et de la virginité?

« Les Latins appellent le lis *Junonia rosa*, en
souvenir de la fable hellénique qui le fait
naître du lait de Junon. Or, au moment où il
naquit, la déesse Aphrodite, issue de la blanche
écume de la mer, conçut, à la vue de cette
blancheur végétale, une horrible jalousie. « Par
dépit, elle fit pousser au milieu de la fleur candide un pistil énorme qui rappelle la verge de
l'âne. C'est à quoi fait allusion Nicandre dans
ces vers que l'on cite dans la traduction latine :

... at in floris medio turpe

Armamentum rudentis asini prominet, quod
membrum dicitur.

Malgré ce scabreux détail de la légende, la
déesse *Pudicitia* n'en porte pas moins une
fleur de lis à la main ; et *Spes* est représentée
avec cette fleur que l'on attribue parfois à
Vénus et aux *Satyres,* mais sans doute à cause
du pistil honteux. De même, dans l'iconogra-
phie catholique, tandis que l'on place le lis

dans la main de saint Louis de Gonzague, candide protecteur de la jeunesse, on l'attribue aussi à saint Antoine, protecteur des mariages » (1).

Toute cette mythologie à double sens, prouve qu'on attribuait à la manducation du lis la propriété de féconder les femmes. Porta écrivait encore au XVIᵉ siècle, dans sa Phytognomonica : « lilium uteros emollit, mensesque provocat, unde uterum conceptui preparat » Pourquoi, dès lors, n'eut-elle pas été propre à faire concevoir les vierges ?

L'attribution de cette influence au lis, n'est qu'un cas particulier de la théorie des signatures. Cette théorie est aujourd'hui peu connue ; mais elle fut répandue assez tard pour que l'abbé Gaffarel, bibliothécaire du Cardinal de Richelieu, y ait encore donné son adhésion.

« Je trouve aux plantes, dit-il, une infinité de figures admirables que les philosophes ont appelé *Signaturæ rerum*. Or, la partie de la plante figurée est appelée *Signatura* ou bien

(1) A. DE GUBERNATIS. *Mythologie des Plantes*, II, 199-200. — La forme du pistil de l'*arum* des haies lui valut en Angleterre les noms de priest's pindle ou dog's pindle et en France ceux de v... de chien et de v... de prêtre. Tout le groupe des aroïdées était désigné par des appellations analogues. R. PAYNE KNIGHT. *Le Culte de Priape et ses rapports avec la théologie mystique des anciens*, Bruxelles, 1883, in-4°, p. 134.

Signature. Je commence donc à montrer par ordre des parties des plantes, les signatures ou figures merveilleuses que la nature y produit ».

(Puis il passe en revue, la racine, la tige, l'écorce, la branche, les feuilles, les fleurs, les fruits et les graines ; nous ne citerons que ces derniers exemples).

« Les fèves portent d'un côté la forme et la figure des parties honteuses de l'homme et de l'autre celle de la femme, et je ne sais si, pour cette seule raison, Pythagore aurait donné cet avis qu'on a jamais su bien entendre : *A fabis abstine...* (1).

La semence qui est la dernière partie accomplie des plantes, comme la plus importante, n'est pas encore dénuée de la beauté de ces figures : car celle de l'*Echion* que nous appelons *buglosse sauvage* ressemble à la tête d'un serpent avec sa gueule et ses yeux : c'est pourquoi elle est souveraine contre leur morsure, selon Dioscoride. Celle de la ruë est faite comme une croix et c'est par aventure, la cause qu'elle a tant de vertus contre les possédés et que l'Eglise s'en sert en les exorcisant. On peut aussi remarquer quelque forme des par-

(1) La sœur Catherine Emmerich raconte dans ses visions que Jésus entra dans le sein de la Vierge sous la forme d'une fève.

ties honteuses, tant de l'homme que de la femme, aux grains de blé et aux pepins de raisins et, à mon propre jugement, on peut philosopher par-dessus le commun sur ce proverbe : *Sine Cerere et Baccho friget Venus* ; Venus ne saurait s'échauffer sans Cérès et Bacchus » (1).

Et plus loin, il écrit décidément : « *Les plantes agissent en la même chose qu'elles représentent*, comme aucunement la citrouille ronde, qui porte la figure de la tête, très souveraine, dit Porta, contre les maux qui la travaillent : l'Argimon, le Seris, le Bellocubus, qui représentent l'œil, le guérissent aussi s'il est malade ; la Dentaria qui a forme de dents, en apaise la douleur ; le Palma Christi et l'Ischaemon faite comme les mains, en guérissent les plaies et le Geranopodion, celles des pieds, parce qu'il leur ressemble.

Voyez chez Crollius, les autres simples qui représentent les restes des parties du corps, comme mamelles, ventricules, nombril, rate, entrailles, vessie, reins, génitoires, matrice, et même jusqu'aux parties honteuses, comme

---

(1) M. J. GAFFAREL. *Curiosites inouyes sur la sculpture talismanique des Persans horoscopes des patriarches et lectures des Estoilles* (s. l.) 1631, in-12, p. 85 et 88-89.

le Phallus hollandica, décrit particulièrement par Adrianus Junius » (1).

Cette théorie des signatures si délibérément acceptée par Gaffarel, n'est elle-même qu'un corollaire d'une autre croyance. L'antique magie sympathique reposait tout entière sur cet axiome : Chaque chose agit selon sa ressemblance (2).

Par la théorie des signatures nous allons donc rejoindre les vieux rites magiques. Et que l'on ne croie point que le bibliothécaire du grand Cardinal exprimait seulement les idées de quelque personnage bizarre du XVI° siècle. Quelques exemples nous convaincront qu'il n'est que l'écho d'une longue tradition.

« On prétend, dit Pline, que le thélygonon (*mercurialis perennis* mâle) pris en boisson, fait concevoir les filles. L'arsénogonon (*mercurialis perennis* femelle) n'en diffère que par ses graines qui ressemblent à celles de l'olivier. Ajouterons-nous foi à ce qu'on dit que l'arsenogonon pris en boisson, fait concevoir des gar-

---

(1) M. J. GAFFAREL. *Loc. cit.*, p. 98-100. — Certaines croyances peuvent se rattacher encore à la même idée fondamentale. Aux environs de Menton, on croit qu'une femme qui trouve un double fruit aura deux jumeaux. J.-B. ANDREWS dans *Rev. Trad. Pop.*, IX, 111. Pour des exemples analogues, voir HARTLAND. *The Legend of Perseus*, I, 151.

(2) Sur la magie sympathique, cfr. FRAZER. *Le Rameau d'or*, I, p. 4; 50-63.

çons. D'autres prétendent que ces deux plantes ressemblent à l'ocimum, mais que la graine de l'arsénogonon, laquelle est double, a de la ressemblance avec les testicules » (1).

La mandragore (*Atropa mandragora*. Lin) à laquelle tout le Moyen-Age (2) attribua la propriété de rendre les femmes fécondes, devait cette réputation à la forme de ses racines (3). Connues en Allemagne sous le nom de racines d'alrun, alraunes, figures alruniques, elles constituaient de véritables fétiches que l'on suspendait dans sa maison, ou que l'on portait, dans un écrin, à son cou.

Dans ces deux cas, les pratiques magiques

(1) PLINE. *Hist. Nat.*, XXVI, 31.
(2) Henry Maundrell qui voyageait en Palestine en 1697, rapporte que les femmes qui désiraient des enfants plaçaient cette racine sous leurs lits. HARTLAND. *The Legend of Perseus*, I, 154. — Les Perses s'en servent encore comme amulette fécondante et l'appellent racine d'homme ou racine d'amour. PLOSS. *Das. Weib.*, I, 439.
(3) VALLOT. *Explication de quelques contes fabuleux imaginés sur quelques singularités du règne végétal* dans *Séance publique de l'Acad. des Sciences, Arts et B. L. de Dijon*, 1819, in-8°, p. 56-57. Sur la mandragore, on peut voir encore : J. THOMASSI. *De Mandragora disputatio*, Lipsiae, 1655, in-4°. — A. HOLZBOURG. *De Mandragora*, Utrecht, 1694, in-4°; O. RUDBECK. *De Mandragora disputatio*, Upsal, 1710, in-8°; GRIMM. *Deutsche Mythologie*, 4° éd., Berlin, 1876, p. 1007. — C. BREWSTER RANDOLPH. *The Mandragora of the Ancients in Folklore and Medicine* dans *Proceedings of the am. acad. of arts and sciences*, 1905, p. 1-51.

de fécondation sont étroitement mêlées à des explications qui relèvent de la théorie des signatures.

Il n'est aucune légende de théogamie végétale qui ne sorte plus ou moins directement de l'exégèse de ces antiques pratiques. Malheureusement, beaucoup d'entre elles nous sont arrivées trop incomplètes ou trop mutilées pour qu'on puisse établir nettement la façon dont elles s'y rattachent. Au dire de l'empereur Kien-long, une vierge céleste enfanta le chef de sa dynastie pour avoir mangé on ne sait quel fruit (1). Marjata, la vierge du Kalevala devint enceinte sans cesser d'être vierge et uniquement pour avoir avalé une certaine baie (2).

Ma'gré ces analogies évidentes, ignorant la nature du fruit qui rendit mère, la vierge chinoise, ou de la baie qui a fécondé Marjata, nous ne pouvons établir qu'en effet les Chinois et les Scandinaves lui attribuaient ordinairement un pouvoir fertilisateur.

Dans certains cas, ceux mêmes qui nous transmirent quelqu'une de ces antiques légen-

(1) P. DE PRÉMARE. *Vestiges des principaux dogmes chrétiens*, Paris, 1878, in-8°, p. 208.
(2) *Kalevala* cité par H. HUSSON. *La Chaîne traditionnelle*, Paris, 1874, in-12, p. 74. — D'autre part, on peut voir dans HARTLAND, *The Legend of Perseus*, I, 108-110, comment l'histoire de Marjatta fut christianisée.

des, perdant de vue les pratiques qui leur avaient donné naissance, crurent les rendre vraisemblables en les complétant de quelque élément nouveau.

« Le Coniraya Viracocha, le Créateur de toutes choses, apparut, il y a bien longtemps de cela, sous les traits d'un homme pauvre, d'apparence misérable et vêtu de haillons, Ceux qui ne le connaissaient pas ne manquaient guère de le traiter de sale personnage et de pouilleux. Cependant, c'était par son ordre que tout avait été fait, que les plateaux et les cavités avaient été formés... Il se rendait sur tous les points de la terre pour mettre chaque chose en ordre. Dans sa sagesse, il tournait en dérision et attaquait les idoles partout où il les rencontrait. Alors vivait une jeune déesse vierge, excessivement belle, appelée Cavillaca. Plusieurs dieux et génies avaient sollicité sa main, mais sans succès. Enfin un jour qu'elle était à tisser un manteau au pied d'un arbre de l'espèce appelée *Lucumo*, Viracocha se déguisa en un joli petit oiseau et se percha sur l'arbre. *Il prit de sa semence et la fit entrer dans une lucma bien mûre et bien appétissante.* Ensuite, Viracocha fit tomber le fruit auprès de la jeune fille qui, l'ayant mangé, se trouva enceinte sur le coup et sans avoir connu d'homme. Au bout de neuf mois, elle enfanta un fils, qu'elle allaita un an entier, sans s'être rendu compte comment elle l'avait eu (1).

Cette légende des Incas de Pérou rappelle cet autre récit tiré du poème irlandais, intitulé le Leabhar breac (2).

Cred, la bonne femme, fille de Ronan, roi de Leister, fut mère de Boethin, fils de Findach.

Findach, le pillard, qui avait l'intention de voler l'église, se trouva un certain jour dans l'aubépine au-dessus de la source, quand Bred à l'œil fort, la fille de Ronan vint y laver ses mains.

Lorsque le hardi pillard regarda la jolie fille de Ronan, un peu de sa semence tomba sur une brindille amère de cresson. La jeune fille mangea cette brindille de cresson et de là naquit l'immortel Boethin » (3).

Ces dernières légendes qui se compliquent de ce trait qu'une semence humaine (4) s'a-

(1) JIMENEZ DE LA ESPADA. *Mitos de los Juncas* dans *Congresso internacional de Americanistas*, Madrid, 1883, T. II, p. 130-131 et MARKLAM. *Narratives of the Rites and Law of the Yncas*, London, 1873, p. 125.

(2) Littéralement *Le livre bigarré*.

(3) W. STOKES. *Cred's pregnancy* dans *Revue celtique*, T. II, p. 199.

(4) On crut longtemps, parmi le peuple, que si la femme avalait de la semence du mari, elle exaspérait son amour pour elle; comme en témoigne cette décision pénitentielle :

5.

joute à la vertu supposée des plantes, sont
évidemment d'une formation secondaire : elles
peuvent fort bien n'avoir qu'une origine littéraire et relever de la migration des contes (1).
Il n'est pas douteux qu'il faille expliquer
ainsi cette chanson très répandue parmi les
Asturiens. Je la cite intégralement :

« Il n'y a qu'une herbe aux champs, qu'on
appelle bourrache, et la femme qui la foule
se sent embarrassée. Le Destin voulut qu'A-
lexandra marchât sur cette herbe.

Un jour, comme elle revenait de la messe,
son père la considère : « Qu'as-tu, Alexandra,
qu'as-tu ? Es-tu malade ? — J'ai une indispo-
sition que j'ai gardée depuis que j'étais petite.
— Ou tu as le mal d'amour, ou tu es amoureuse. En appelant sept médecins tu seras
vite guérie. On appela sept docteurs, les plus
savants de l'Espagne. L'un dit : « Je n'y com-
prends rien »; l'autre dit : « Ce n'est rien »;
le plus jeune et le plus beau de tous dit :
« La princesse est grosse. » — Taisez-vous,
taisez-vous, docteur! Que ne le sache le roi

« Gustate de semini viri tui ut, propter tua diabolica facta,
plus in amorem tuum exardescaret. Si fecisti, septem an-
nos per legitimas ferias pœnitere debes. » BURCHARD. De
Pœnit. Decret, lib., XIX.

(1) Cfr. SAINTYVES. Les Saints successeurs des dieux,
Paris, 1907, in-8°, p. 204 et suiv.

d'Espagne. Si le roi d'Espagne le savait, je
perdrais la vie. Elle monta dans sa chambre
où elle travaillait et cousait. Elle éprouvait
une douleur à chaque point qu'elle faisait et
entre une douleur et une douleur, elle mit au
monde un enfant mâle. — Prends-le et em-
porte-le, jouvenceau, dans les plis de ta cape.
Avec celui-là, il y en a déjà sept; mon père ne
sait rien. Qu'il ne sache ni par où tu descends,
ni par où tu sors, que mon père ne te rencontre
pas... Ah! si mon père te rencontrait!

Au bas de l'escalier, il se trouva avec le bon
roi. — Que portes-tu là, petit garçon, dans
les plis de ta cape? — Je porte des roses et
des œillets, caprices de femme grosse. — De
ces roses et de ces œillets, donne-moi la rose
la plus colorée! — La plus colorée de toutes
a perdu une feuille. — Qu'elle l'ait ou non
perdue, on ne refuse rien à un roi. On en
était là de ce propos; le bébé dans la cape
se mit à pleurer. — Marche, marche, petit
garçon et ne perds pas ta journée. De l'arbre
qui porte ces fruits, je couperai la branche. Le
roi s'en fut à la chambre d'Alexandra. Alexandra qui l'avait vu, était sortie de son lit. —
Reste tranquille, Alexandra, une femme qui
est accouchée il y a une heure ne peut être
levée. Dis ta confession, maudite! Dis ta con-

fession, méchante! Quand elle dit : « Seigneur, j'ai péché, il lui coupa la tête » (1).

Nombre de chansons, romances, récits et contes, où l'on rencontre des herbes fées qui rendent enceintes celles qui les foulent, doivent avoir une origine littéraire (2). Il se pourrait bien que, dans cette chanson asturienne, le rôle de la bourrache (qui n'a rien que je sache de sacré), s'expliquât par un jeu de mots populaire sur bourre, bourrer (3).

Mais ces légendes de formation secondaire ou même tertiaire, qui sont les produits de la migration des contes, ne sauraient faire oublier les premiers récits de théogamie végétale, contemporaines de très anciennes mythologies. Nous avons montré que leur génèse s'explique parfaitement, en admettant qu'ils ont été inventés pour justifier l'efficacité de certains rites de fertilité. Le prêtre ou le dévot qui les imagina crut se prouver ainsi à lui-même combien on avait raison de recourir à des pratiques qui non seulement pouvaient rendre aptes à la conception, des femmes jusqu'ici stériles;

(1) Cᵗᵉ DE PUYMAIGRE. *Les vieux auteurs castillans*, Paris, 1862, II, 357.

(2) On en trouvera d'intéressants spécimens dans HARTLAND, *The Legend of Perseus*, London, 1894, in-12, I, p. 89-90, 92-95.

(3) DE CHARENCEY. *Le Folklore dans les Deux Mondes*, p. 233.

mais la provoquer sans autre recours que celui
du dieu. Tous ces contes où la pierre, l'eau, la
plante remplacent le mari, semblent bien les
fruits de l'apologie, ou tout au moins de l'exégèse de très anciens rites (1).

(1) Qu'une femme embarrassée ait pu imaginer, dans
certains cas, d'accuser quelque divinité et ce au plus grand
profit de son sanctuaire, c'est possible, mais je crois que
l'hypothèse purement apologétique est beaucoup plus vraisemblable. Dans les régions où il y a un sacerdoce, si
humble soit-il, de tels récits ne se seraient point propagés
sans le concours des prêtres qui y voyaient la justification
éclatante des mérites de leurs dieux. Par un détour, nous
revenons donc au même mobile de propagation.

IV

Des naissances miraculeuses dues à l'action simultanée des plantes divines et des eaux sacrées

Parfois les naissances miraculeuses semblent avoir été attribuées à une double influence et supposent, pour l'esprit superstitieux, l'action simultanée des plantes et des eaux divines.

Cred, la fille à l'œil fort, n'eut pas mangé le cresson couvert de semence si elle n'était venue se laver les mains dans la source. Mais on n'ose pas déterminer, d'après ce bref récit, si l'ablution pratiquée par la fille de Ronan marque la survivance de quelque pratique sacrée. Le cas de la princesse Chand Rawati semble plus clair. Comme elle se baignait dans le Gange, dont on connaît le caractère sacré, elle vit une fleur qui flottait sur l'eau. Elle la prend, la mange et avale du même coup le *sperma genitale* qu'y avait laissé tomber, accidentellement, un Rishi. Aussitôt enceinte, elle

accouche d'un fils qu'elle mit au monde, naturellement par le nez. L'histoire est d'ailleurs
des plus morales. Chang Rawaiti se maria par
la suite avec le père de son fils et ce dernier,
grâce à ses vertus, obtint l'immortalité (1). Le
cas de la nymphe Adrika n'est pas moins
caractéristique. Ayant été changée en poisson,
par l'effet d'une malédiction divine, elle mange
une feuille tombée du bec d'un épervier et qui
flottait sur l'eau. Mais la feuille portait une
goutte de sperme de son amant, le roi Upari-
chas. Cette femme-poisson fut prise par un
pêcheur et apportée à ce souverain. Après
qu'on l'eut ouverte, la nymphe reprit sa véritable forme et donna naissance à deux poissons, l'un mâle et l'autre femelle (2). Mais jl
est des récits grecs encore plus significatifs à
mon avis.

On a remarqué que l'union sacrée de Héra
avec Zeus reste stérile dans la légende (3).

---

(1) TEMPLE (Capt. R. C.) dans The Folk-lore Journal,
IV, 304.
(2) DE GUBERNATIS. Mythologie Zoologique, p. 331. —
Cette fable du Mahâbharâta a été adaptée à la légende de
saint Nicolas et se raconte chez les Bohémiens en Hongrie.
HARTLAND. The Legend of Perseus, London, 1894, in-12,
I, 120 citant VON VLISLOCKI, Volksdichtungen der sieben
bürgischen und sud ungarischen Zigeuner. Wien, 1890, p.
300.
(3) Cfr. DAREMBERG et SAGLIO. Dict. des Ant., Vᵉ Junon,
T. V., p. 688 et suiv.

Une seule tradition en fait naître Hébé (1). A
Samos, la virginité de Héra avait fait donner
à l'île son plus ancien nom de Parthénia, et à
la divinité elle-même celui de Parthénos (2).
Héra inspire le respect plutôt que le désir, Homère l'appelle vénérable. Dans le jugement
de Pâris, le prix lui échappe, non parce qu'elle
est moins belle, mais parce qu'elle désespère
la passion. Héra est la protectrice de la femme
à tous les âges et dans toutes les conditions
de son existence. Elle est invoquée dans toutes
ses épreuves, particulièrement dans celles de
l'enfantement (3). Elle est kourotrophe, pré-
posée à la garde et à l'éducation de la jeune
fille qu'elle orne de ses dons. Elle a pour compagnes les nymphes, celles du Cithéron dans
le culte de Platée, celle du fleuve Astérion à
Argos, qui furent ses nourrices, celles de l'Im-
brasos à Samos qui participèrent à la fondation
de son temple (4). Or, les nymphes associées
au culte de Héra, témoignent suffisamment
qu'il est issu d'anciens cultes naturalistes :

(1) GERHARD. *Greech Myth.* I, § 230, n. 1; PAUSANIAS II,
17; SCHOL. Il., I, 609.
(2) SCHOL. APOLL. RHOD. I, 187; II, 867; CALLIM. *Del.*,
50.
(3) ESCH. *Sept. Th.* 137; EURIP., *Hel.*, 1094, *El.* 674; APU-
LÉE, *Méth.*, VI, 4.
(4) PLUT. *Aristid.* M; PAUSANIAS *Voy.* IX, 2, 5; il, 17, 2;
ATHÉN, XV, p. 672, 6.

culte des eaux et de la terre fleurie. Elles sont
d'ailleurs kourotrophes comme la déesse elle-
même (1).

Héra qui assiste la jeune fille jusqu'à l'instant du mariage (2). Héra au temple de laquelle les jeunes mariées vont déposer leur
voile au lendemain de la cérémonie (3), est
aussi la divinité qui mène à bien le développement du fœtus au sein de la mère, et qui assiste la femme dans les douleurs de l'enfantement. A Athènes, en Crète et à Argos, elle
était invoquée sous le vocable de Ilithya (4).

Chez les Latins, le culte de Junon consiste
presque entièrement en un culte de la fécondité. Héra Parthénos paraît totalement oubliée.
En revanche, c'est chez eux que se sont déve-
loppées les légendes relatives à ses conceptions
miraculeuses.

« Quelques auteurs, dit Noël Leconte, prétendent que Junon fut, un jour, invitée à dîner
par Apollon, dans le palais même de Jupiter.
Parmi les mets ornant la table, figurait un plat
de laitues sauvages. En ayant mangé, Junon,

---

(1) Preller. *Gr. Myth.* I, 596-599 et Welcker. *Griech
Gœtterlehre*, p. 372.
(2) Le fiancé jurait par Héra fidélité à sa femme; Poll.
III, 38; Schol. Aristoph. *Theim*, 973; Apoll. de Rhodes,
IV, 96; Diod., V, 73.
(3) Archil. *Fragm.*, 17, Bergk.
(4) Cfr. Darembero et Saglio, V° *Ilithyia*, p. 382 et suiv.

demeurée stérile jusque-là, se trouva subitement enceinte de la déesse de la jeunesse, la
séduisante Hébé (1). » Malheureusement on
n'a pu retrouver dans quel écrivain ancien
Noël Leconte avait pris ce récit. Hésiode et
l'interpolateur d'Homère en font, au contraire,
la fille légitime de Zeus.

Certaines légendes posthomériques racontent
que Héra, jalouse d'avoir vu Zeus donner le
jour à Pallas, par sa seule puissance, et sans
le secours de son propre sexe, s'en vengea en
enfantant de son côté, sans l'intervention de
son époux, Héphaestos, après avoir goûté
d'une plante fécondante (2). Mais de quelle
plante s'agit-il ? Nous ne le savons pas.

Enfin une dernière tradition, ou mieux une
dernière variante, la plus précise de toutes,
nous est rapportée par Ovide. La voici telle
qu'il la met dans la bouche de Flore.

« Quand Minerve fut née sans mère, la
chaste Junon vit avec douleur que Jupiter n'eut
pas eu besoin de sa participation. Elle allait
se plaindre à l'Océan de cet empiètement sur
ses droits, elle s'arrêta fatiguée à ma porte.

(1) NATALIS COMITIS. *Mythologie*, etc., Lyon, 1602, T. I,
p. 14.
(2) HÉSIODE. *Theog.*, V. 927; HYMN. IN APOLLOD. I, 3, 6.
— LUCIEN. *Des Sacrifices*, VI. — HYGIN. *Praef.* cfr. A.
MAURY. *Les Religions de la Grèce*, I, 498.

Dès que je l'aperçus : « Quel sujet t'amène,
lui dis-je, fille de Saturne ? » Elle m'apprend
alors le but et la cause de son voyage. Je la
consolais par des paroles amicales. « Ce n'est
point par des paroles, dit-elle, que l'on peut
adoucir mon chagrin ; si Jupiter est devenu
père sans épouse et seul avec ce nom de père,
s'est réservé celui qui m'appartient, pourquoi
n'aurai-je point l'espoir de devenir mère sans
époux et de concevoir sans ses embrassements
en restant néanmoins chaste épouse ? Je veux
tenter tous les secrets puissants que m'offre
l'étendue de la terre ; je fouillerai les mers et
les détours même du Tartare.

La parole était sur mes lèvres ; l'hésitation
se peignit sur mes traits. — Nymphe, me dit-
elle, tu parais pouvoir quelque chose pour
moi. — Trois fois je voulus lui promettre as-
sistance, trois fois ma langue s'arrêta, tant je
craignais le courroux de Jupiter ! — Prête-moi
secours, dit-elle, je t'en prie ; je te promets dis-
crétion ; — et elle atteste la divinité du Styx.
Tes vœux, lui dis-je, seront comblés par une
fleur que j'ai reçue des champs Oléniens ; elle
est unique dans mes jardins. Celui qui m'en
fit don me dit : « Touche avec cette fleur une
génisse même stérile et elle sera mère » ; j'obéis
et déjà la génisse était mère.

Aussitôt ma main a détaché la fleur de sa

tige; Junon en est touchée; et cet attouchement
a fécondé son sein. Enceinte, déjà elle par-
court le Thrace, et la gauche de la Propontide;
enfin ses vœux sont accomplis. Mars avait vu
le jour. Ce dieu, se souvenant qu'il me doit
reconnaissance, m'a dit : « Et toi aussi, prends
place dans la ville de Romulus (1). »

Ces trois légendes ne sont évidemment,
comme nous le disions, que des variantes
d'une seule et unique tradition. La première
est liée à la seconde par le trait de la manducation d'une plante; la seconde à la troisième
par le motif de la démarche de Junon; le dépit
contre Jupiter. C'est donc encore la même idée
que nous avons rencontrée déjà en tant d'autres fables : la fécondité obtenue par la communion à un totem végétal ou même par son
simple contact.

Mais ici une question se pose. Quelle était
la plante ou la fleur qui avait fait concevoir
la mère des dieux? On sait que la grenade et
la pomme étaient des attributs ordinaires de
Junon. La pomme, d'ailleurs, est souvent mise
pour la grenade et symbolise comme elle la
fécondité. Les traditions précédentes sont trop

(1) Ovide. *Fastes*, V, 231-260, tr. Panckoucke, ed. in-12,
p. 201-203.

vagues pour qu'on puisse rien en déduire à
ce sujet.

Une superstition des Florentins modernes
permet de supposer que le pommier joua ce
rôle dans l'antique Italie. Quand une femme
stérile désire un enfant elle va trouver un
prêtre et le prie de lui remettre une pomme
bénite « an enchanted apple » dit Leland ; et
une fois en possession de ce talisman, elle se
rend à sainte Anne, *la San'Na*, qu'elle supplie
de lui accorder un enfant (1). La dévote man-
ge-t-elle la pomme ? — Je ne sais. Mais la
San' Na est incontestablement une substitution,
à Junon Lucina ou plus brièvement à Lucina
qui n'est qu'une épithète Junonienne personnifiée (2).

Il est vrai que, dans la tradition ancienne,
ce n'est pas un fruit qui opère, mais une fleur.

(1) Cн. G. Leland. *Etruscan Roman Remains in popular
tradition*, London, 1892, in-4°, p. 246.
(2) Cette pratique florentine rappelle un bien joli conte
pieux du Portugal. Une femme qui se confessait à saint Antoine lui confia son désespoir d'être sans enfants. Le saint
lui remit trois pommes en lui recommandant de les manger
de suite. Arrivée à la maison, elle pose les trois pommes et
se met à préparer un beafteck. Son mari aperçoit ces fruits
et, ignorant leur propriété, les mange; mais quand il apprend ce qu'il avait fait, il est terrifié. Il en serait mort si,
le terme étant arrivé, une personne charitable ne lui avait
ouvert le ventre et ne l'eût ainsi débarrassé d'une fille.
Th. Braga. *Contos Tradicionæs do Povo Portugues*, Porto,
s. d. I, 42.

On pourrait admettre que la fleur et le fruit de la même plante eussent eu l'une et l'autre les mêmes effets. Je crois avoir cependant de sérieuses raisons pour supposer que la fleur dont il s'agit dans nos traditions n'est autre que l'Astérion et non point la fleur du pommier.

« A quinze stades de Mycène, écrit Pausanias, sur la gauche, on trouve un temple de Junon ; le chemin qui y mène est arrosé de l'eau de la fontaine Eleuthère ; c'est de cette eau que les prêtresses de Junon se servent dans leurs purifications, et dans les fonctions secrètes de leur ministère. Le temple est bâti au pied du mont Eubée, ainsi appelé du nom d'une des filles du fleuve Astérion ; car les gens du pays disent que ce fleuve eut trois filles : Eubée, Prosymne et Acrée, et qui toutes les trois furent nourrices de Junon ; ils ont donné le nom d'Acrée à une montagne qui est vis-à-vis de celle où est le temple, le nom d'Eubée à celle-ci et le nom de Prosymne à une grande place qui est devant le temple. L'Astérion coule au bas, ensuite il se précipite dans un gouffre et ne paraît plus ; sur ses rives croît une herbe qu'ils appellent de l'*Astérion*, ils en parent l'autel de la déesse et lui en font des couronnes...

En entrant dans le temple, on voit sur un trône la statue de Junon, d'une grandeur extra-

ordinaire, toute d'or et d'ivoire, c'est un ouvrage de Polyclète. La déesse a sur la tête
une couronne au-dessus de laquelle sont les
Heures et les Grâces; Junon tient d'une main
une grenade, pourquoi une grenade? C'est un
mystère que je passe sous silence...

Sur la cime de la montagne où ce temple est
bâti, vous remarquez les fondements d'un autre
temple plus ancien et quelques ruines que le
feu a épargnées; celui-là fut brûlé par le fait
de Chrysis, prêtresse de Junon, qui s'étant
endormie, ne s'aperçut pas que le feu avait
pris à des couronnes fort sèches qui en étaient
trop près (1). »

D'après cette relation, il est clair que l'astérion (muguet?) qui croissait sur les bords
du fleuve du même nom, était consacré au
culte de la déesse. On en faisait des couronnes
que l'on suspendait dans son temple et des
guirlandes dont on parait ses autels. Mais,
chose remarquable, cette fleur consacrée à Junon, porte le même nom que le fleuve dont
elle émaille les bords, ce qui donne à penser
que fleuve et fleur devaient concourir à un
même rôle. Mais quel était-il? Pausanias ne
nous le dit point.

Nous avons vu que, près du même temple,

_____

(1) PAUSANIAS. *Voyages*, II, XVII.

l'eau de la fontaine Eleuthère servait à des purifications, et des survivances modernes permettent de croire qu'elles passaient pour favoriser l'accouchement des femmes enceintes (1). Eleuthère n'est-il pas celui qui délivre ?
Cette fontaine me semble d'ailleurs étroitement apparentée à celle de Nauplie où Junon
se baignait tous les ans pour recouvrer sa virginité ? (2).

Etre délivrée, être purifiée, recouvrer sa virginité, sont des expressions qui se rapportent
toutes aux mystères de Junon et aux cérémonies qu'on y célébrait pour l'heureux enfantement des mères.

Mais Junon n'était pas seulement une Lucine, elle était encore, et avant tout, une mère,
la mère divine par excellence, celle que l'on

(1) Au mois d'août 1870, à Athènes, en pratiquant des
fouilles au céramique, on a découvert un bas-relief représentant les parties sexuelles de la femme avec cette inscription : « ειλειθυια » en latin Lucine... Ce bas-relief
était certainement sacré, symbole vénéré ou ex-voto, il indique que les femmes enceintes venaient en ce lieu pour im-
plorer Junon Ilithyie, la déesse des accouchements.
   Aujourd'hui, en Grèce, presque rien n'est changé. Seulement les offrandes s'adressent à un saint que les ortho-
doxes appellent Eleuthère. A Athènes, près de la métro-
pole, et à Patinia, petit village voisin de la capitale,
les fidèles ont bâti une église en son honneur. Les femmes
enceintes s'y rendent et assistent à une liturgie à leur intention. R. BEZOLES, Le Baptême, Paris, 1874, in-8°, p.
127-128.
   (2) PAUSANIAS. Voyages, II, xxxviii. — SCHOL. PIND.,
oly VI, 149.

6

invoquait universellement contre la stérilité.
Et ceci nous conduit à cette hypothèse que les
dévotes qui se rendaient près de Mycènes pour
demander progéniture, devaient aller se baigner dans le fleuve Astérion, et se couronner
des muguets (astérion) qui croissaient sur ses
bords.

Ce fleuve est, en effet, un fleuve générateur
puisqu'il était le père de trois filles et, qui plus
est, toutes les trois, nourrices de Junon. Le
muguet est une plante éminemment printa-
nière et, comme toutes les plantes précoces, ne
pouvait guère manquer d'être considéré comme
un très précieux remède contre la stérilité. Sans
doute les femmes désireuses d'enfants, après
s'être baignées dans les eaux de l'Astérion et
s'être couronnées de ses fleurs, offraient-elles
en vœux à Junon ces couronnes qui se dessé-
chaient dans le temple et que laissa s'enflam-
mer la nymphe Chrysis. Notre hypothèse trouvera plus loin sa pleine confirmation dans l'é-
tude que nous consacrerons au mariage sacré
de Zeus et de Héra : Jupiter et Junon.

Ce double rite d'un culte semi-aquatique et
semi-végétal n'est point propre d'ailleurs à la
Grèce.

On le retrouve en Australie. Chez les rive-
rains de la rivière Proserpine, la divinité Kunya taille les enfants dans des racines de pan-

danus et les introduit dans la mère pendant
qu'elle se baigne (1). Qu'est-ce à dire sinon
que Kunya était honorée tant par une absorption de la racine de pandanus que par un bain
sacré. Aux Iles Fidgi, les femmes stériles vont
se baigner à certain fleuve avec leur mari et
la femme, immédiatement avant le congrès,
prend une boisson fabriquée en exprimant la
racine d'une espèce de caroubier et le noyau
d'une sorte de safran (2). Quoi qu'il en soit
de ces cas sur lesquels les détails sont insuffisants, l'Extrême-Orient va nous fournir un
exemple des plus caractérisés.

« Les princes de la dynastie mandchoue
qui règnent encore aujourd'hui sur la Chine,
se glorifient d'avoir eu, eux aussi, pour auteur
de leur race, le fils d'une vierge-mère. Voici
ce qu'ils nous racontent à ce sujet. Une fille
céleste descendit un jour près de la montagne
qui se trouve non loin de la plaine d'Odoli et
se baigna dans un lac du voisinage. Sur ces
entrefaites, une pie laissa tomber sur le sein
de la jeune personne un fruit rouge qu'elle
s'empressa de manger. S'étant trouvée subitement enceinte, elle mit au monde un fils qui

(1) W. E. ROTH. *Superstition, Magic and Medicine* dans
North Queensland Ethnography, Bulletin n° 7, août 1904,
§ 82, p. 23.
(2) HARTLAND. *The Legend of Perseus*, I, 153.

se mit à parler dès le jour de sa naissance.
Une voix dans les airs annonça qu'il avait le
ciel pour père, qu'il réunirait plusieurs tribus
en un seul peuple, et précisément de lui donner le nom d'Aïschin-Goro.

Cet Aïschin-Goro est d'ailleurs un personnage fort réel, qui vivait vers 1375 de notre
ère. Il fonda une petite principauté dans la
plaine d'Odoli et ses successeurs devaient être
un jour les conquérants du Céleste empire (1).»

Cette tradition est-elle le souvenir d'un pèlerinage fait par la mère d'Aïschin-Goro à quelque lieu sacré (2); ou bien un simple emprunt

---

(1) DE CHARENCEY. *Le Folklore dans les Deux-Mondes.*
p. 185-186, d'après E. F. KOEPPEN, *Die Religion des Bouddha,* T. II, p. 160.

(2) De tels pèlerinages existent en Chine depuis une haute
antiquité. On peut en donner en preuve la tradition relative
à la naissance de *Miao-chen,* qui fut assimilée par le bouddhisme à *Kouan-Yin* : la grande maîtresse à la robe blanche
que l'on invoque contre la stérilité. La reine Pao-Teh (la
Vertu précieuse) occupait le trône avec son époux depuis quarante ans, sans lui avoir jamais donné d'héritier et « comme
elle en éprouvait un vif chagrin, elle conseilla au roi de se
rendre avec elle à la colline des Fleurs, où se trouvait
l'image d'une divinité douée d'une puissance miraculeuse si
grande qu'on n'y avait jamais recours inutilement. Ils y
allèrent en grande pompe, y présentèrent beaucoup d'offrandes pendant toute une série de jours, puis revinrent
dans leur royaume non sans avoir promis aux prêtres une
récompense magnifique au cas où la reine deviendrait enceinte. En réalité, la reine conçut trois fois et donna successivement le jour à trois filles : la Belle Pureté, Beau Soir
et Belle Vertu ou Miao-Chen. » J. M. DE GROOT. *Cérémonies annuelles célébrées à Emoui,* Paris, 1886, in-4°, I.
189-190.

littéraire? Je ne saurais le dire, les éléments
nous faisant défaut pour en décider. Il n'en est
pas moins frappant de voir associé, dans cette
histoire de vierge-mère, la manducation d'un
fruit à la prise d'un bain.

C'est encore de Chine que viennent les récits suivants : « La vierge *Ching-mou* conçut
pour avoir mangé une fleur de Lien-hoa (lotus)
qu'elle avait trouvée sur ses vêtements à l'endroit où elle se baignait. S'étant rendue au
terme de sa grossesse dans l'endroit où elle
avait ramassé la fleur, elle y accoucha d'un
fils qu'elle fit élever par un pauvre pêcheur.
Cet enfant que l'on s'accorde à identifier avec
Fo-hi devint un grand homme et accomplit
force prodiges (1).

(1) J. BARROW. *Voyage en Chine*. Trad. Castera, Paris,
1805, in-8°, II, 311. — Un missionnaire écrit à propos de
cette même vierge-mère : « Lorsque nous parvînmes à Pu-
Hô (dans le Kiang-Si), ville située au confluent de huit ri-
vières; notre pilote qui avait là sa famille voulut y séjourner
une semaine, pour célébrer avec les siens une fête en l'honneur d'une divinité chinoise qu'on appelle vulgairement
Ching-Mou : la sainte Mère et même quelquefois Thiên-
héou: Reine du Ciel... Les Chinois disent que la déesse
Kouan-yn ou Ching-mou est vierge, quoiqu'ils placent presque toujours un enfant dans ses bras et un oiseau blanc
au-dessus de sa statue, avec l'inscription suivante que j'ai
lue : Kian-chê-tche-mou : mère libératrice du monde. N'est-
ce pas la sainte Vierge avec le saint Esprit sous forme de
colombe. » R. P. Laribe, *Traditions chinoises sur la Vierge
et la Trinité*, dans *Annales de Phil. Chrét.*, Paris, 1845.
T. XII, p. 475-476.

6.

Il y a mille ans environ (disait-on, en 1660)
trois jeunes vierges appelées : Angéla, Chan-
gela et Fecula descendirent du ciel pour se
baigner dans une fort belle rivière. Tandis
qu'elles étaient en prières, Fécula aperçut un
arbre, dont les feuilles plus longues et plus
pointues que celle d'un orme, couvraient à
demi des fruits pareils à des cerises noires. Y
ayant goûté, elle les trouva si bons qu'elle ne
pouvait s'en rassasier. Quelque temps après ce
régal, la vierge se trouvait enceinte. Elle eut
donc le déplaisir de voir ses compagnes remonter au ciel sans pouvoir les accompagner, son
état de grossesse lui interdisant ur aussi long
voyage. Force lui fut de rester sur la terre
jusqu'au temps de ses couches, qui se firent
neuf mois après. S'étant délivrée d'un fils
qu'elle sevra presqu'aussitôt, elle le porta dans
une petite île, lui commandant d'attendre l'arrivée d'un pêcheur qui ferait son éducation.
Il n'était pas permis, en effet, à la mère de se
charger de ce soin, obligée qu'elle était de
regagner le céleste séjour. A peine eut-elle
disparu, que le pêcheur annoncé s'arrêta à
l'endroit où était le jeune enfant. Il l'emporta
dans sa maison où ce dernier grandit à vue
d'œil. Son esprit et son corps firent chaque
jour de merveilleux progrès; il se rendit bientôt capable de gouverner le pays et même de

faire des lois pour quantité d'autres royaumes. Par la suite des temps, la mère de ce héros fut honorée sous le nom de *Pussa* (1) . »

Les fruits noirs de cette dernière légende ne sont autre chose, d'après le P. Kircher (2), que ceux d'une espèce de lotus (lotum aquaticum). Je le croirais d'autant plus volontiers que la parenté de ces divers récits avec le suivant n'est guère contestable et nous retrouvons précisément, dans ce dernier, le rite de la manducation du lotus.

La vierge Ma-Tso-Pô invoquée en Chine contre la stérilité (3), naquit de façon merveilleuse. Tchun, sa mère, rêva une fois qu'elle recevait de la déesse Kouan-yin une fleur de lotus qu'elle mangeait ; peu de temps après, elle devenait enceinte et puis une gestation de quatorze mois, lui donna le jour (4). » Ma-Tso-Pô est d'ailleurs représentée tenant à la main une fleur de lotus (5).

Ces diverses traditions qui peuvent toutes

(1) DE CHARENCEY. *Le Folklore dans les Deux-Mondes*, p. 195-196, d'après *Ambassade mémorable à l'empereur du Japon*, Amsterdam, 1680, in-f°, 2° p., p.82.

(2) KIRCHER. *China illustrata*, Amsterdam, 1687, in-f°, p. 141.

(3) J. M. DE GROOT. *Les fêtes annuellement célébrées à Emoui (Amoy)*, Paris, 1886, in-4°, p. 263-265.

(4) J. M. DE GROOT. *Loc. cit.*, I, p. 262.

(5) J. M. DE GROOT. *Loc. cit.*, I, pl. XV, reproduisant le n° 1411 de Musée Guimet.

se rattacher à d'anciens rites de fécondité pratiqués dans les lacs sacrés où fleurissent les lotus, nous amènent à des légendes plus complexes.

Vishnou est souvent identifié ou associé au lotus. On dit que son haleine a le parfum du lotus, que son nombril est semblable au lotus et s'ouvre dès que le soleil le touche, enfin ce dieu repose ou marche non pas sur la terre, mais dans un lotus d'or.

Brahma, la première incarnation de Vischnou sort du lotus qui naît du nombril de ce grand dieu (1). « On suppose que l'habitation de Brahma se trouve dans une mer de lait, sur une fleur semblable à celles qui poussent dans les étangs appelée *Camella* (nom sanscrit du lotus) d'une grandeur et d'une beauté extraordinaires, qui pousse à Temerapu, qui signifie l'ombilic de cet océan de douceur. A cette fleur on attribue dix-huit noms qui célèbrent ses différentes beautés. Dans cette fleur, on dit que Brahma dort six mois de suite chaque année, pour veiller les autres six mois. (2). » Brahma est représenté un lotus à la main et trônant sur un lotus (3).

---

(1) *Bâghavata-Purâna*, III, 20, 16.
(2) P. V. M. DA SANTA CATARINA. *Viaggio all' Indie Orientali*, III, 18.
(3) *Vishnu Purana*, IV, cap. I.

Quand le *Boddhisatva* (autre incarnation de Vischnou) vint au monde, un lotus miraculeux sortit de terre. Il s'y assit et, d'un regard, embrassa tous les mondes. Puis, lorsqu'il se leva de ce trône végétal, pour parcourir l'univers, des lotus naquirent sous ses pas(1). A sa mort, les cinq espèces de lotus sortirent de terre en tous lieux offrant aux yeux étonnés le spectacle le plus ravissant (2). Les images de Bouddha le figurent ordinairement assis sur la fleur de lotus.

Le lotus était également un attribut de *Krichna* (autre manifestation de Vichnou) ce dieu portait, sous chacun de ses pieds, la marque de cette fleur. Il aimait à s'en parer; Le Bhagavata-Purâna le montre agitant le Nelumbo ou lotus rouge d'une main et portant un lotus bleu fixé à son oreille (3).

Dans cette association du lotus à Vichnou, à Brahma, au Bouddha, à Krichna, la plante en question fut sans doute assimilée au soleil pour diverses raisons. Les Indous assurent que le soleil est sorti des eaux comme le lotus et ils le représentent par un nymphéa qui sur-

(1) *Lalita Vistara*, ch. VII, trad. FOUCAUX, p. 86.
(2) L. FEER. *Entretiens du Buddha et de Brahma sur l'origine des choses* dans *Congrès Internat. des Orientalistes* de 1878, p. 475.
(3) *Bhagavata-Purana*, lib. X, 23, 22; 30, 25; 32, 2; 35, 16.

nage. Le lotus, comme le soleil, est un principe
de création et de fécondité. L'un et l'autre sont
divins. Toute partie du lotus contient un bouddha avec ses assistants. Chaque rayon de soleil peut manifester la force divine de Vichnou.

On ne saurait donc s'étonner de rencontrer
dans la plupart des pagodes un étang à lotus
ou à nymphéa. Ces étangs sacrés appelés :
Sa : bokkerani puskkarini (étang de lotus)
servent aux ablutions saintes (1).

Dans les cérémonies funéraires, on prie les
ancêtres de donner un garçon couronné de lotus et l'épouse de l'officiant mange un peu de
la pâte qui lui est offerte, espérant prendre de
la sorte, une part plus efficace à leur vertu
génératrice (2).

Se baigner dans l'étang de lotus et manger
le lotus, c'est donc participer à la fécondité
des dieux ou des demi-dieux. Dans le Bhagavata-Purâna, nous voyons les brahmanes offrir
un sacrifice à Vichnou pour obtenir un fils au
roi, et la reine stérile manger de l'offrande qui
la rend mère d'un fils (3). Vichnou, sous le

(1) L. FOURNEREAU. *Le Siam Ancien*, Paris, 1895, in-4°,
I, 109.
(2) V. HENRY. *La Magie dans l'Inde antique*, Paris, 1904,
in-12, p. 137.
(3) E. BURNOUF. *Bhagavata Purâna*, IV, 35, 38. Dans ce
cas particulier, l'offrande était composée, il est vrai, de riz

nom de Bhagavata, à la suite d'un sacrifice offert par Nâbhi et Mêroudêvî, sa femme, s'incarna dans le sein de celle-ci (1). Le Bouddha (manifestation de Vichnou) descend dans le sein de sa mère sous la forme d'un éléphant tenant dans sa trompe une fleur de lotus blanc. La légende qui rapporte ce trait a d'ailleurs gardé le souvenir d'un rite du bain auquel elle n'attribue plus, il est vrai, qu'une vertu purificatrice (2).

Sans doute, ces grands dieux ont bien d'autres charges que de consoler les femmes stériles, mais ils ont des suppléants tout particulièrement consacrés à cet office. Tel Kamin, sorte de dieu de l'amour, dans l'Inde moderne. Kamin est armé d'un arc de bambou et de cinq flèches. « La première est une fleur blanche de nénuphar, elle frappe à la tête et donne la confusion d'esprit; la deuxième est une fleur de manguier, elle frappe au front et donne le désir; la troisième est la fleur d'une anonacée, elle frappe à la poitrine et donne le besoin de possession; la quatrième une fleur de jasmin, elle frappe aux mamelles et donne le rut; la cinquième est la fleur du lotus blanc, elle

préparé avec du sucre et du lait, mais on ne saurait douter qu'il en est d'autre où le lotus remplace le riz ou s'y associe.

(1) E. BURNOUF. *Bhâgavata-Purâna*, V, III, 1-20.
(2) E. W. RHYS DAVID. *Buddhist Birth Stories*, p. 52-63.

frappe aux parties sexuelles et unit les amou-
reux (1). »

Le lotus qui monte des lacs sacrés, comme
le soleil fécondateur monte des eaux, demeure
donc, dans l'Inde, une fleur de fécondité et
l'onde où elle se propage, participe à sa vertu
de combattre la stérilité.

En Egypte, le lotus était appelé l'épouse du
Nil, parce que lorsque ce fleuve grossit, il en
couvre la surface. Cette fleur a été consacrée à
Isis, la vierge-mère, elle lui est parfois identifiée. Horus, qui naquit de cette mère divine,
sortit, lui aussi, dit-on, d'une fleur de lotus.
On le représente assis sur cette plante sacrée.
Comment se fit sa conception ? A l'époque
où elle eut lieu, Osiris, l'époux d'Isis, et
père putatif d'Horus, était mort ; l'eau du Nil où
furent, disait-on, jetés ses organes virils, en
avait-elle reçu un pouvoir fécondateur ; ou la
déesse communia-t-elle au divin lotus dont naquit son fils ? Je ne sais (2).

Quoi qu'il en soit, le lotus, comme le lis,
sert à exprimer, par un double symbolisme,
la chasteté et la fécondité. On a reconnu au

---

(1) Dʳ Ch. Valentino. *Notes sur l'Inde*, Paris, 1906, p.
137-138.
(2) Pour le culte du Lotus en Egypte cf. A. de Gubernatis. *Mythologie des plantes*, II, p. 20-29 et Joret. *Les
Plantes dans l'antiquité*, I, 269-272. — On rencontre parfois
le lotus dans le sexe des momies de femmes.

nymphéa, dès la plus haute antiquité, la propriété de calmer les sens. C'est donc une plante qui rend chaste. Cependant, il était cher aux femmes indiennes à d'autres titres. Elles le mangeaient pour avoir des enfants. Il en fut sans doute de même chez les femmes d'Egypte. Chez les Grecs d'Asie, la problématique tribu des Lotophages descendait du lotus. Le souvenir de ce double symbolisme s'est perpétué jusque dans l'art chrétien où il est arrivé que des artistes substituent le lotus au lis, précisément dans les mains de la Vierge.

V

Les Théogamies thériomorphiques
La Mythologie des unions de Jupiter
sous des formes d'animaux

« Les tribus qui prétendaient jadis descendre
d'animaux au sens propre du terme, regardèrent
plus tard ces animaux comme des avatars de
Zeus. » A. Lang *La Mythologie* p. 181.

« Une fois le zoomorphisme rejeté dans l'ombre par l'anthropomorphisme hellénique, il était
nécessaire que les animaux-dieux, tombés au rang
d'animaux sacrés, fussent rattachés par des liens
plus ou moins arbitraires aux différentes divinités anthropomorphes, soit comme compagnons
soit comme attribut il arrive toutefois que la
légende animale jouit d'un crédit tel qu'il est,
impossible de l'anthropomorphiser intégralement ; c'est alors qu'intervient la métamorphose,
c'est-à-dire l'hypothèse poétique d'une transformation de dieu-homme en animal, alors qu'il
s'agit en réalité d'une transformation restée im-
parfaite du dieu-animal en homme. » S. Reinach,
Prométhée dans *Conf. au Musée Guimet*, Paris
1907. in-12 p. 99.

Nous voici parvenus à une catégorie de traditions qui représentent un mélange fort com-
plexe d'influences successives, mais où le
thème miraculeux fondamental semble bien
être la fécondation d'une femme par un dieu
à forme animale.

Pouvons-nous espérer que l'hypothèse gé-

nérale qui nous a permis d'expliquer la formation de la plupart des légendes précédentes
par une mauvaise exégèse des rites magiques
contre la stérilité s'appliquera encore ici ? Ce
n'est guère douteux.

Un missionnaire contemporain, le P. Martial de Salviac, qui a vécu parmi les Oromo
ou Galla, parle longuement de leur culte et
nous permet de saisir sur le vif les rites sauvages qu'ils emploient encore pour attirer la
fécondité sur leurs troupeaux et sur leurs
femmes.

« Il y a dans l'année, dit-il, deux fêtes princi-
pales régulières : l'Atara et l'Atête. Ces fêtes
sont surtout familiales et se célèbrent mysté-
rieusement à l'intérieur des cases. Pendant
leur durée, de trois jours la première, de dix
la seconde, les gens de la maison ne doivent
ni sortir ni donner l'hospitalité. Après l'accomplissement de certains rites, le père de famille invoque Dieu et *appelle la fécondité sur
sa femme, sur ses filles grandes et petites et
sur ses troupeaux par ordre d'espèces.* La dé-
cence chrétienne proscrirait certains détails de
la fête d'Atête. Cette fête exige le sacrifice d'un
bœuf, celle d'Atara veut l'immolation d'un
bouc (1). »

(1) P. MARTIAL DE SALVIAC. *Un peuple antique au pays
de Ménélick. Les Galla,* Paris, 1901, in-8°, p. 145.

Il est fâcheux que le P. de Salviac ait été
tenu par le but de son ouvrage à tant de dis-
crétion. Cependant ces indications nous suf-
fisent pour comprendre le sens et la fin de ces
cérémonies de fertilisation. La déglutition des
chairs sacrifiées, au dire des Gallas, attire un
esprit en leur intérieur. « Nous le sentons,
disent-ils, il agit en nous, et alors pleins de
joie, nous nous mettons à danser et à chanter.
— Entendant un indigène me faire d'un ton
grave et convaincu, sa profession de foi sur ce
point, ajoute le P. de Salviac, je ne pus me défendre d'un sourire et j'émis un doute. Il parut
étonné, quasi scandalisé et réitéra vivement
son affirmation. Je me tins alors sur une pru-
dente réserve, de crainte de choquer intempes-
tivement ce croyant. Après tout, la persua-
sion qu'un être surnaturel s'empare d'eux au
moment de la manducation de la victime, tient
à l'idée universelle de la communion (1). »

Comme l'a fort bien vu le P. de Salviac, le
rite essentiel des fêtes Galla n'est pas autre
chose qu'un sacrifice de communion, la forme
la plus ancienne du sacrifice. Roberston Smith
a établi, en effet, que le sacrifice de communion
était plus ancien que l'offrande ou sacrifice-
don ; qu'on en trouvait des traces isolées chez

(1) P. Martial de Salviac. Loc. cit., p. 142.

les Grecs et les Romains, comme chez les
Hébreux ; enfin que la communion chrétienne
n'était qu'une transformation de ce rite primitif (1).

Mais il est un point que met parfaitement en
lumière le récit du P. de Salviac et sur lequel
les savants ne se sont guère arrêtés jusqu'à
présent. J'entends l'efficacité du rite en question contre la stérilité. Les sacrifces de communion remontent à l'époque où les plantes
et les animaux étaient considérés comme des
dieux ou plus exactement comme des totems.
Il était interdit de tuer ou de manger ces pro-
tecteurs divins ; cependant une fois l'an ou
dans des circonstances solennelles prévues, il
était reçu que l'on sacrifiât le totem ; et les
membres du clan communiaient de sa chair
ou de ses fruits afin de participer à ses vertus
divines.

Les totems furent souvent considérés comme
les pères ou les ancêtres de la tribu (2). Mais
que ce soit par une exégèse singulière du tabou

(1) S. REINACH. Cultes, Mythes et Religions, Paris, 1905,
gr. in-8°, I, 97-104.
(2) FRAZER. Le totémisme, trad. DIRR et VAN GENNEP,
Paris, 1898, in-12, p. 6 et suiv. — S. REINACH. Mythes,
Cultes et Religions, I, p. 25-26. — Même en admettant
avec M. Reinach que ce caractère du totémisme n'est pas
essentiel mais secondaire, on ne saurait nier qu'il soit très
ancien et qu'il ait été des plus fréquents.

dont ils étaient l'objet, ou par suite d'une analogie conçue par lui entre une race divine et
des gens de son clan, il est certain que la
communion au corps de celui qui était par
excellence le père du clan, le premier générateur de la tribu, devait être souverainement
efficace contre la stérilité. Les interdictions ali-
mentaires, plus nombreuses pour les femmes
que pour les hommes, avant la puberté, ne
sont-elles pas une preuve que l'on craignait
qu'elles ne reçussent de certaines manduca-
tions, une fécondité prématurée ? (1).

Parfois, on serait tenté de voir dans ces man-
ducations d'animaux quelque application de
la théorie des signatures dont nous avons déjà
parlé à propos des plantes. Anciennement en
Prusse on servait aux jeunes mariés, une fois
au lit, un plat de testicules de chevreuils, de
taureaux ou d'ours (2). Dans la vieille Angleterre, on prescrivait aux femmes désireuses
d'avoir un fils, de prendre des testicules de
lièvres dans du vin (3). En Transylvanie, même

(1) FRAZER. *Le Totémisme, trad.* VAN GENNEP., Paris,
1898, in-12, p. 28.
(2) SCHRODER. *Die Hochzeitsbräuche der Esten und eini-
ger anderer Finnisch-ugrischer Volkerschaften in Verglei-
chung mit dessen der Indogermanischen Volker.*, Berlin,
1888, p. 171.
(3) HARTLAND. *The Legend of Perseus*, I, 156.

ordonnance (1). Parfois ce sont les organes
génitaux du renard qui font le même office (2).

Les animaux dont la forme, avec plus ou
moins de bonne volonté chez les naïfs interprètes, pouvait permettre des rapprochements
scabreux étaient volontiers considérés comme
fécondateurs. Voici ce qu'on raconte en Annam : Un homme sans enfant décida de manger une énorme anguille qui se tenait ordinairement au confluent de certaine rivière. Un
bonze vint le trouver et le supplia d'épargner
cet animal. Ne pouvant le détourner de son
projet, avant de se retirer, il lui demanda
quelque nourriture. L'homme lui donna des
légumes cuits suivant le rituel bouddhiste,
sans sel et sans assaisonnements, et le bonze
s'éloigna. L'homme put pêcher l'anguille en
empoisonnant le cours d'eau et quand il l'eut
fait cuire il trouva dans son ventre la nourriture qu'il avait offerte au prêtre. Il reconnut
ainsi que le bonze n'était qu'une manifestation de l'anguille. Quand l'homme eut mangé
l'anguille, sa femme devint enceinte et donna
naissance à un fils qui causa leur ruine. Ce

---

(1) Von Wlislocki. *Volksglaube und Volksbrauch der
Siebenbürger Sachsen*, Berlin, 1893, p. 169.
(2) Von Wlislocki. *Loc. cit.*, p. 103.

fils n'était qu'une réincarnation de l'anguille qui se vengea ainsi de son meurtrier (1).

Les histoires et les pratiques où les poissons jouent un rôle ne sont point rares, et l'on devine par certaines d'entre elles que l'abondance des œufs de ces animaux ou, comme nous l'avons déjà dit pour l'anguille, leur forme grossièrement analogue à celle de l'organe mâle ont été des raisons sinon déterminantes, du moins explicatives de leur attribution (2). Ne voyons-nous pas une femme s'introduire un poisson dans le vagin avant de le faire manger à son mari pou. accroître sa fécondité.

A la lumière de ces indications générales, nous chercherons à éclaircir un premier point de la mythologie jupitérienne. Les aventures amoureuses de Zeus sont fort nombreuses. Le naturalisme des croyances qui en font le père de toutes choses, le principe fécondant et la cause essentielle du monde, s'est formé par l'assimilation d'une série de cultes locaux où l'on vénérait des dieux de la vie et de la fécondité.

La légende d'Europe et de Jupiter taureau.

---

(1) A. LANDES. *Contes et Légendes annamites*, Saïgon, 1886, p. 160.
(2) HARTLAND. *The Legend of Perseus*, London, 1894, I, p. 73-76.

7.

— Homère ou, pour être plus exact, le poète qui a interpolé dans le discours de Zeus à Héra l'énumération des liaisons du Dieu, connaît Europa, il en fait une fille de Phénix, l'oiseau fabuleux, et lui donne deux fils : Minos et Rhadamante (1). Le fait dominant de sa légende est l'enlèvement d'Europe par Zeus qui, épris d'amour et métamorphosé en taureau, vient la surprendre sur le rivage de Tyr ou de Sidon et la transporte, suivant les uns, dans l'île de Crête où s'accomplit leur union (2), suivant d'autres, en Béotie, au voisinage de Thèbes (3).

« Overbeck (4) se rencontre avec Jahn pour voir dans l'Europe crétoise une divinité tellurique qui s'unit à Zeus à l'ombre du platane toujours vert de Gortyna (5), ou dans la grotte de Tumessus, par le ιεροςγαμος dont le souvenir était célébré chaque année dans la fête des Hellotia (6). L'épisode principal était une procession dans laquelle on portait une énorme

(1) *Iliade*, XIV, 321, *Schol. Ili.* XII, 292, citant Hésiode et Bachylide; *Platon Nüe*, 318; *Eurip. Cret.*, ed. Nauck, fr. 475.
(2) Horace. *Od.*, III, 25; Ovide. *Métam.*, II, 850, *Fast.*, V, 605.
(3) *Pausanias*, IX, 19.
(4) Overbeck, art. *Zeus*, p. 5 et 89.
(5) Sur ce platane toujours vert; Théoph. *Hist. Plant.* I, 10, 5; Varron. *De re rust*, I, 7; Plin. *H. N.*
(6) Overbeck dans *Mém. de l'Acad. Roy. de Saxe*, 1861, IV, 109.

guirlande de myrte appelée Hellotis comme
la déesse ; s'il faut en croire une tradition rapportée par Athénée, la guirlande était censée
renfermer les ossements même d'Europa Hellotis (1) » (2).

Le myrte ne fut point exclusivement consacré à Europe. Dans l'île de Cythère, dit-on,
Vénus, ayant honte un jour de sa nudité, se
cacha derrière un myrte et, par reconnaissance, l'adopta comme sa plante bien-aimée.
Dans ses fêtes, au commencement d'avril, on
s'en paraît, et les époux, ses protégés, en portaient des couronnes (3). On pourrait déjà déduire de là qu'Europe fût une forme locale
de Vénus. Et, de fait, Lucien l'assimile à la
Vénus Astarté de Sidon (4).

Mais qui ne voit que nous arrivons ainsi à
la primitive forme animale d'Europa? La Si-
donienne, dit Ovide, est la vache égyptienne
d'abord femme, ensuite vache, enfin déesse.
Il est donc fort probable que le mariage sacré
de Zeus et d'Europe était à l'origine l'union
du taureau sacré avec une vache, sorte d'Isis-
Athor.

(1) HÉSYCH. sv. *Athen*. Deipnos, XV, 678.
(2) J. A. HILD, art. *Europa* dans *Daremberg et Saglio*,
III, 863.
(3) A. DE GUBERNATIS. *La Mythologie des Plantes*, Paris,
1882, in-18°, II, 233.
(4) *Sur la déesse Syrienne*, 4.

Nous savons, il est vrai, que cette donnée
s'anthropomorphisa; mais il reste à déterminer
sous quelle influence. Le taureau sacré, si
connu en Egypte sous le nom d'Apis, reçut
fort tardivement un culte. L'un des rites qui
se pratiquait à l'occasion de la découverte de
chaque nouvel Apis, indique bien quel était
l'un des offices principaux du dieu . « Dès que
l'Apis nouveau a été trouvé, le peuple quitte.
le deuil et les prêtres préposés à sa garde le
conduisent d'abord à Nicopolis, où ils le nour-
rissent pendant quarante jours; ensuite ils le
font monter dans le vaisseau thalamège qui
renferme pour lui une chambre dorée; ils. le
conduisent ainsi à Memphis et le font entrer
comme une divinité dans le temple de Phtah
(Vulcain). Pendant les quarante jours indiqués
le taureau sacré n'est visible qu'aux femmes :
*elles se placent en face de lui et découvrent
leur sexe;* dans tout autre moment, il leur est
défendu de rester devant lui. » (1).

Les femmes demandaient ainsi au fécondateur de la vache sacrée des gages de postérité.
Mais qu'en peut-on induire pour la légende
d'Europa qui, vraisemblablement, se rattache
à quelque localisation du culte d'Astarté?
C'est que fort probablement le taureau ne prit

(1) Diod. de Sicile, I, 85.

cette place dans la légende que parce qu'il
jouait un rôle analogue à celui d'Apis dans le
culte d'Astarté et qu'on l'invoquait pour en
obtenir progéniture. Pour les rites qui devaient
accompagner une telle supplication, il est fort
à croire qu'ils furent multiples. On connut
certainement dans les temples d'Astarté les
veilles rituelles et les prostitutions sacrées, La
Bible en fournirait des témoignages répétés.
Mais ces veilles et prostitutions n'empê-
chèrent point les sacrifices animaux ou ho-
locaustes de communion, dans lesquels le taureau enguirlandé de fleurs, comme aujour-
d'hui chez les Galla, incorporait à ses fidèles,
avec sa propre chair, sa toute puissante fécondité (1).

Le taureau a toujours été un type de la force
du mâle et il a joué ce rôle représentatif dans
maintes mythologies et maintes liturgies magiques. Chez les Gaulois et les Celtes, il fut
certainement vénéré comme un dieu fécondateur. L'Irlande, en particulier, pourrait en
donner maints témoignages. On conserva longtemps dans les champs du manoir d'Habyr-
don un taureau blanc en liberté, sans le sou-

(1) C'est en vertu d'un principe analogue que les Nouveaux Zélandais, après la bataille, recherchaient, pour les
manger, les corps des chefs les plus célèbres « croyant s'as-
similer le courage, l'habileté et la gloire de celui qu'ils dé-
voraient ». LUBBOCK, p. 423.

mettre jamais à la charrue ou à l'attache.
Quand une jeune fille voulait se marier, on
allait chercher l'animal pour le conduire à
travers la ville jusqu'aux portes du monastère
de Saint-Edmond et la fiancée marchait près
de lui en caressant ses flancs et ses fanons.
Le cortège, une fois arrivé au milieu des
moines qui l'attendaient sur le seuil de leur
porte, on renvoyait le taureau tandis que la
jeune fille pénétrait dans l'église où elle allait
baiser la tombe du saint patron du lieu. Évidemment le rite ancien est mutilé ; mais cette
caresse au taureau, à fin de progéniture, n'en
demeure pas moins significative (1).

Les amours de Zeus serpent. — On racontait dans les milieux orphiques une autre
union de Zeus qui n'est pas la moins singulière. Voici comment M. S. Reinach propose
d'interpréter les textes relatifs à cet hymen
mystérieux : (2).

Zeus-serpent s'accouple à sa mère, Rhéa-
serpent, ou selon d'autres, à sa fille, Persé-
phone-serpent. De cet union naît un œuf divin, d'où sort un serpent cornu : Dionysios-
Zagreus qui est un dieu. « Héra jalouse, ex-

(1) *County-Folklore.* Printed Extracts, Vᵉ Suffolk, London, 1893, in-8°, p. 124.
(2) S. REINACH. *Le Serpent cornu* dans *Mythes, Cultes et
Religions,* Paris, 1906, in-8°, II, 58-65.

cite contre lui les Titans qui l'amusent d'abord
puis se jettent sur lui pour le dévorer. Vainement Zagreus essayant d'échapper à leurs
coups prend la forme d'animaux divers, en
dernier lieu celle d'un taureau ; son corps est
mis en pièces et les Titans en dévorent les
morceaux. Cependant le cœur de Zagreus est
resté intact ; Athéné l'apporte à Zeus qui l'avale
ou le fait avaler à Sémélé. Bientôt Zagreus
renaît sous le nom de Dionysios et les Titans,
ses meurtriers, sont précipités dans le Tartare. Mais les hommes, nés de la cendre des
Titans, portent la peine du crime de leurs ancêtres décédés ; seule, l'initiation aux rites orphiques peut les affranchir du péché et leur
assurer la vie éternelle. (1) »

Il n'est pas douteux que cette légende com-
posite ne se soit formée à l'époque où se con-
fondirent les cultes du Zeus hellénique et du
Dionysios Thrace. Le culte du dieu-taureau,
accompagné de sacrifice de communion, semble
bien avoir eu pour but principal d'obtenir la
fécondité. Mais peut-on dire la même chose
du culte du serpent qui est la forme essentielle de Dionysios Zagreus?

« Les femmes de Samothrace, écrit Plutarque, sont sujettes, de toute ancienneté, à être

----

(1) S. REINACH. *Loc. cit.*, p. 59.

possédées de l'esprit d'Orphée et de la fureur
divine qu'inspire le dieu Dionysios, d'où leur
vient le nom de Clodones et de Mimallones;
elles ont à peu près les mêmes pratiques que
les femmes édoniennes et que les thraciennes
qui habitent les environs du mont Hémus. Il
semble même que c'est des cérémonies qu'ob-
servent ces dernières femmes qu'est dérivé le
mot grec   Ορησκευω   (imiter les Thraces)
qui signifie exercer un culte superstitieux.
Olympias, femme de Philippe, plus livrée que
les autres femmes à ces superstitions fanati-
ques, y mêlait des usages encore plus barbares
et traînait souvent après elle, dans les chœurs
de danses, des serpents privés, qui se glis-
saient hors des corbeilles et des vases mystiques où on les portait et s'entortillaient autour des thyrses de ses bacchantes, jetaient
l'effroi parmi les assistants. Cependant Ché-
ron de Mégalopolis, que Philippe envoya consulter l'oracle de Delphes après un songe qu'il
avait eu (1), lui rapporta un ordre du dieu de
sacrifier à Jupiter Ammon et de rendre à ce
dieu des honneurs particuliers. On ajoute qu'il
perdit un de ses yeux celui qu'il avait mis au
trou de la porte d'où il avait vu Jupiter cou-

---

(1) Quelque temps après son mariage, Philippe songea
qu'il scellait le sein de sa femme et que le cachet portait
l'empreinte d'un lion.

ché auprès de sa femme sous la forme d'un
serpent. Olympias, au rapport d'Eratosthène,
ne découvrit qu'à Alexandre seul le secret de
sa naissance et l'exhorta à n'avoir que des sentiments dignes de cette auguste origine (1).

Il est clair que cette légende eut pour point
de départ la dévotion d'Olympias au dieu
serpent de l'Orphisme, à Dionysios-Zagreus.
Etant donnée la popularité des mystères et de
leurs pratiques, il n'est pas étonnant que
cette légende se soit beaucoup répétée dans
les pays helléniques. Chez les Messéniens,
Nicotéléa avait eu d'un serpent, le héros
Aristomène (2); Aristodama de Sicyone, mère
d'Aratus, passait pour avoir eu commerce
avec ce reptile (3); Elien prétendait tenir
des Iduméens le conte d'une jeune fille
qui aurait été passionnément aimée par un serpent (4) et Plutarque rapporte la même aventure d'une jeune fille d'Ætolie (5). La nymphe
Hélia, fille de Sibaris, étant un jour entrée
dans le bois sacré de Diane, vit tout à coup

(1) PLUTARQUE. *Vie d'Alex.*, § III, voir aussi même livre,
§ XXVII et *Quinte Curce*, X, 5.
(2) PAUSANIAS, IV, 14.
(3) PAUSANIAS, IV, 14.
(4) ELIEN. H. A., VI, 27.
(5) PLUTARQUE. *De Solat. anim.*, XVIII, 3.

paraître un énorme serpent qui la couvrit et
engendra ainsi la race des *Ophiogènes* (1).

On sait combien le culte totémique du serpent fut répandu dans l'univers. Dès qu'une
femme indigène du cap Bedford voit un serpent, elle se sauve au plus vite, de peur qu'il
ne pénètre en elle; aussitôt le mari cherche la
bête dans les buissons et sous les pierres et
s'il ne la trouve pas, c'est signe que sa femme
est grosse (2).

Il n'est pas douteux qu'en Asie on ait rapproché le serpent de la forme du phallus et
que, pour cette raison, on l'ait invoqué contre
la stérilité (3). La première population de
Kachmir était appelée du nom de leurs ancêtres les Nagi ou Serpents (4). Aujourd'hui
encore les femmes de l'Inde obtiennent d'être
mères en sacrifiant au serpent (5).

---

(1) ELIEN. H. A. XII, 39 et *Strabon*, XIII, 14. — Ces
légendes passèrent d'ailleurs chez les Romains où Scipion et
Auguste, au dire de certains étaient nés d'un serpent. *Tite
Live*, XXV. *Aulu. Gell.*, VI-1; *Suétone*, II, 94.

(2) A. VAN GENNEP. *Mythes et Légendes de l'Australie*,
Paris, 1905, in-8°, p. LII.

(3) ABBÉ BERTRAND. *Dict. des Religions*, Paris, Migne,
V° *Naga Poudja*, III, 865.

(4) ABBÉ BERTRAND. *Dict. des Religions*, Paris, Migne,
V° *Nagi*, 803-809.

(5) D' CH. VALENTINO. *Notes sur l'Inde*, Paris, 1906,
p. 138. L'idée de la paternité totémique du serpent se retrouve en Australie chez les Moluquois. COUTAND D'ORVILLE,
t. II, p. 332.

Un conte du Panjab rapporté par Swynnerton dérive évidemment d'un vieux rite sacrifi-
ciel de fécondité. Un serpent mangeait un
jeune homme quand sa femme tout en pleurs
lui demanda ce qu'elle deviendrait après qu'il
aurait dévoré son mari. — Pourquoi cette in-
justice? — Le reptile pris de remords, rampa
jusqu'à son trou et en rapporta deux pilules
magiques disant : « Tiens, sotte femme, prends
ces deux pilules et avale-les et tu auras deux
fils que tu pourras consacrer toi-même et qui
prendront grand soin de toi. » La jeune femme
lui répliqua pourtant : « Mais que deviendra
ma bonne renommée? » Le serpent ne sachant
pas qu'elle était déjà mariée lui répliqua exas-
péré : « Les femmes sont des êtres absur-
des! (1) »

Evidemment cette mort du mari se rattache
à d'antiques sacrifices humains offerts à quelque
totem-serpent, dans le but d'avoir des enfants.
Il s'agit là d'un sacrifice-offrande, mais il n'est
pas douteux qu'en bien des cas le serpent totem ait été l'objet d'un sacrifice de communion. Dans les *Mille et une nuits* arabes, nous
voyons le roi Salomon prescrire la chair de
deux serpents à un roi d'Egypte et à son vizir
tous deux sans enfants. La loi mahométane

(1) SWYNNERTON. *Indian Nights*, p. 137.

tolère d'ailleurs semblable nourriture quand elle est destinée à des femmes stériles (1).

En Afrique, les femmes de population Juidat étaient considérées comme les épouses du serpent et ne pouvaient, par suite, manger de sa chair (2). A Madagascar, les indigènes ne répugnent pas à manger du serpent (3); mais il existe des tabous qui l'interdisent (4).

Nous ne prétendons point cependant que la légende de la naissance de Dionysios-Zagreus se soit greffée sur un sacrifice de communion dont le serpent eut été la victime sacrée. Mais puisque le serpent passait si souvent pour un ancêtre totémique ou pour s'être uni aux femmes, il est fort à présumer qu'on le considérait comme un saint patron de la fécondité. Et sans doute Dionysios-Zagreus n'échappa point à cet honneur.

Par quels rites contraignait-on primitivement le dieu à accorder progéniture? Rien ne nous permet aujourd'hui de dire que ce fut par un sacrifice de communion ou par une sim-

(1) *Thousand Nights and Night*, ed. F. Burton, 1885, VII, 320, cité par Hartland.
(2) DE BROSSSES. *Culte des dieux fétiches*, p. 41.
(3) A. VAN GENNEP. *Tabou et Totémisme à Madagascar*, 1904, in-8°, p. 209.
(4) A. VAN GENNEP. *Loc. cit.*, p. 124.

ple offrande, ou même par un simple contact.
Toutes ces hypothèses sont vraisemblables,
mais aucune ne saurait être démontrée.

En Egypte, le serpent de la montagne
Scheikh Haridy, près de Gebel, était censé
assurer la fécondité aux femmes qui le visi-
talent. Dans une petite mosquée de la montagne, où on l'exposait, il suffisait aux dévotes
de le toucher comme pour une caresse (1).

Le contact du dieu pouvait donc suffire à
assurer la cessation de la stérilité. Au reste,
cette pratique s'accompagnait nécessairement
d'offrandes, vœux, abstinence, etc. Se conten-
tait-on de faire des offrandes à Dionysios-Zagreus et de toucher les serpents de ses sanctuaires? C'est possible. Cependant certaines
pratiques gnostiques permettent de soupçonner
que le culte du serpent orphique pouvait avoir
gardé le souvenir d'antiques sacrifices de communion.

« Sous le nom de Itahaméens ou d'Ophites,
se groupaient quelques païens adorateurs du
serpent, à qui il convint à certains jours de
s'appeler chrétiens. C'est d'Assyrie que vint,
ce me semble, le germe de cette église bizarre;
mais l'Egypte, la Phrygie, la Phénicie, les
mystères orphiques y eurent leur part. Comme

(1) *Description de l'Egypte*, T. IV, *Notice sur les an-
tiquités que nous trouvons à Gebel Scheikh-Haridy*, p. 73.

Alexandre d'Abonotique, prôneur de son dieu
serpent Glycon, les Ophites avaient des serpents apprivoisés (Agathodémons) qu'ils te-
naient dans des cages; au moment de célébrer les mystères, ils ouvraient la porte au petit dieu et l'appelaient. Le serpent venait, mon-
tait sur la table et s'entortillait à l'entour des
pains de communion. L'Eucharistie apparaissait alors aux sectaires un sacrifice parfait. Ils
rompaient le pain, se le distribuaient, adoraient l'agathodémon et offraient par lui, di-
saient-ils, un hymne de louanges au Père céleste (1). »

Les Ophites, qui avaient leur littérature chrétienne (2), identifiaient souvent le Christ avec
le Serpent; et certains d'entre eux prétendaient que c'est sous cette forme qu'il s'était
uni à la Sophia-Achamoth (forme mythique
de la Sagesse).

Nous retrouvons donc encore chez ces gnostiques la légende de l'union du serpent avec
une femme; mais, associée à une communion
eucharistique. Chose remarquable, le pain de
cette communion au Christ devait avoir pris
contact avec le dieu et semble, par suite, avoir

---

(1) E. RENAN. *Marc-Aurèle*, p. 132-133.
(2) E. RENAN. *Marc-Aurèle*, p. 133 et *L'Eglise chrétienne*,
p. 518.

été substituée au dieu lui-même, c'est-à-dire
à un Christ-serpent.

Malgré tout nous ne prétendons point que
les théogamies animales se rattachent nécessairement toutes à des pratiques sacrées en
l'honneur de totems animaux préposés spécialement à la fécondité. Mais les premières
histoires de ce genre ont sans nul doute une
semblable origine (1). Ces fables, une fois for-
mées, durent se propager et purent se greffer
ici sur une image, là sur un autre culte et donner naissance à des traditions nouvelles qui
n'avaient plus qu'un rapport indirect avec le
totémisme. Le cas suivant nous en est un
exemple :

*La légende de Léda et de Némésis et Ju-
piter cygne.* — Léda s'est unie dans la même
nuit à Jupiter, métamorphosée en cygne, dont
elle eut Pollux et Hélène, et à son époux Tyn-
dare, père de Castor. Léda mit au monde un
œuf d'où sortent les Dioscures et leur sœur
Hélène (2).

Le mythe de Léda se confond dans la tradition la plus ancienne avec celui de Némésis,

(1) LANG. *Mythes, Cultes et Religions*, p. 413, note 3.
(2) S. REINACH. V° *Dioscures* in DAREMBERG et SAGLIO,
III, 250. Voir aussi dans *Mythes, Cultes et Religions*, II,
56 du même savant, l'étude suggestive où il cherche à
établir que les Dioscures primitifs sont eux-mêmes des
cygnes.

autre déesse poursuivie par Zeus sous forme
de cygne. Elle s'était muée elle-même en oie.
Leur union produit un œuf qui, trouvé plus
tard par Léda, aurait été gardé par elle jusqu'à ce qu'il produisit Hélène et le dioscure
Pollux (1).

M. Furtwangler pense que, dans la légende
primitive, Némésis était la mère d'Hélène et
que Léda aurait été après coup substituée dans
ce rôle pour des raisons purement littéraires (2). Mais comment expliquer la fable ori-
ginelle dans laquelle Zeus-cygne s'unit à Né-
mésis-oie pour donner naissance à l'œuf des
Dioscures?

Le culte de Némésis fut très répandu chez
les Egyptiens d'où il passa en Grèce. Cette
déesse, redoutable personnification de l'inévitable destin et de la rigueur des dieux, avait,
au rapport de Pline, quinze chapelles dans le
labyrinthe et près des bords du lac Mœris,
c'est-à-dire à l'entrée de l'enfer égyptien. Sans
doute sacrifiait-on le cygne ou l'oie à cette jus-
ticière. De nombreuses représentations montrent que ces oiseaux et surtout l'oie étaient des
oiseaux de sacrifice en Egypte (3). Mais on

---

(1) Art de ROSSBACH, ap. ROSCHER. *Lexikon*, III, 117.
(2) FURTWANGLER. *Coll. Sabouroff I, Introd. Terres Cui-
tes*, p. 8-19, pl. LXXI.
(3) LEPSIUS. *Denkmæler*. Ab. II, bl. 125, 54, 10.

n'en saurait inférer que cette abstraction personnifiée qu'était Némésis eût eue d'abord une
forme totémique (1).

Je croirais bien plus volontiers que certains
bas-reliefs d'autels (2) où l'on représentait les
oiseaux du sacrifice (deux oies dans la circonstance), de chaque côté d'un autel surmonté
d'une forme ovoïde, aura donné naissance à
la fable connue : l'autel devint l'œuf des
Dioscures, les oies ou les cygnes. Jupiter et
Némésis.

Il n'est guère douteux que cette fable soit en
effet née en Egypte. La précision brutale des
images qui la traduisent ne peut guère être
considérée comme une invention purement
grecque. Au reste, ce qui prouve que ces sortes de représentations sont vraiment indigènes
en ce pays, c'est la force de persistance qu'elles
y manifestèrent. S'il faut en croire M. Gayet,
certains spécimens gréco-alexandrins sont de

_____

(1) Il est fort probable que le culte de Némésis se greffa
sur le culte de Seb qui est, en effet, un dieu-oie et passait
pour avoir pondu l'œuf créateur. Il y a toujours totémisme
à l'origine, mais ce n'est plus que totémisme indirect. —
·On peut, d'ailleurs, rapprocher de cette fable ce que nous
rapporte PLINE des Amours de Glaucé la joueuse de guitare,
avec un oison. H. N., l. X, ch. XXII.

(2) WILKINSON. *Customs and Manners of ancient Egypt*,
II, ch. X, p. 361.

8

date fort tardive et auraient ornés des églises
chrétiennes. L'image dans laquelle M. Gayet
a vu un faucon, pourrait bien être l'œuvre
d'un faussaire (1); mais dans celle très authen-
tique que l'on trouve dans Strygowski (2), il
s'agit bien certainement d'un cygne. Un ange
lui tient les ailes tandis qu'il couvre une femme
(la Vierge Marie) nue et couchée et cherche à
joindre son bec à ses lèvres (3).

Nous n'avons pas la prétention d'épuiser
ici cette étude. Il nous faudrait alors expliquer pourquoi Zeus s'unit à la fille de Clétor
sous forme de fourmi; pourquoi Chronos aima
la vierge Philyre sous forme d'étalon (4); pourquoi Prajapati prenait la forme d'un chevreuil
pour obséder sa fille de ses assiduités; pourquoi Neptune s'incarnait en taureau pour pos-

---

(1) ALB. GAYET. *L'art Copte*, p. 107-108. J'en ai donné
une reproduction dans *Les Saints successeurs des dieux*,
I, p. 222.

(2) STRYGOWSKI. *Koptische Kunst*. Le Caire, 1904, in-f°,
p. 22, Ab. 26, n° 7279.

(3) Il ne faut pas s'étonner de ce grossier matérialisme
des chrétiens d'Egypte. « S'il faut en croire les auteurs
coptes, une fille de l'empereur de Constantinople s'étant
trouvée enceinte avant d'avoir été mariée, un concile d'é-
vêques décida gravement que c'était par l'opération du
Saint-Esprit. » E. AMELINEAU. *Résumé de l'Histoire d'E-
gypte*, Paris, 1894, in-12, p. 214.

(4) PHÉRÉCYD. FRA., I, p. 70. La même chose se racontait
du dieu indou Vivaswan qui s'unit sous cette forme à la
vierge Sandja, La science personnifiée, *Harw.*, I, p. 51.

séder la jeune Éolienne et en bélier pour séduire la fille de Bisaltus (1).

Nombre de ces fables s'expliqueraient sans
doute par la migration des thèmes miraculeux
relatifs à la naissance, mais greffés sur d'anciens rites totémiques ou sur d'antiques images
liturgiques à représentations animales.

Les *Semang* nous montrent un cas de manducation animale greffé sur des rites du totémisme végétal : La future mère va à l'arbre,
le plus proche qui soit, de l'espèce de son
« arbre natal ». Elle le décore de feuilles odo-
riférantes et de fleurs, se couche dessous, tue
l'oiseau, faisan argus, qui est porteur de l'âme
et réside dans l'arbre et de ce fait conçoit (2).
Il est fort possible ici que le récit de quelque
théogamie animale venue d'une autre tribu
ait provoqué l'addition de la manducation du
faisan aux anciennes cérémonies de fécondation en l'honneur de l'arbre natal.

Je ne saurais préciser quelle fut la source
de la légende grecque relative à l'union de

---

(1) OVIDE. *Métam.*, VI, 116-117. — LANG. *Mythes, Cultes
et Religions*, p. 482-483. Ces histoires sont innombrables
et l'on ne prétend pas en dresser ici un recueil complet.
(2) *Année sociologique*, X, 249-250, d'après SKEAT AND
BLAGDEN. *The Pagan Races of the Malay Peninsula*, London, 1906, in-8°, II, 192, 216, 225. — ATHÉNÉE parle des
amours d'un paon avec une jeune fille, *Deipnosophoi*, l.
XIII, 30.

Phtiah avec Zeus sous forme de colombe (1).
En revanche, je ne serais pas étonné qu'on
parvint un jour à rattacher à cette fable ou à
son prototype, la tradition iconographique qui
représente le Saint-Esprit sous l'aspect de cet
oiseau lorsqu'il descend sur la Vierge Marie
pour la couvrir de son ombre.

(1) ELIEN. *Hist. Var.*, I, 15.

VI

Fécondations Météorologiques

Universalité du Totémisme. — Ce serait une
étrange erreur de s'imaginer que les totems
se rencontrent seulement parmi des plantes
ou des animaux comestibles, comme tendrait
à le faire croire la théorie de M. Frazer. Tous
les êtres sont susceptibles d'être considérés
comme les parents du clan, il suffit qu'ils
puissent être regardés comme ayant une sorte
de vie. Or, nous avons vu que les primitifs
n'hésitent pas à traiter les rochers eux-mêmes
comme des êtres animés. Dans ces disposi-
tions, ils ne pouvaient manquer d'attribuer la
vie aux divers météores. Ils les ont même fort
souvent considérés comme des totems.

Le vent est adopté comme totem par les
Wotgo balluk (Victoria N. O.) (1) et par les
Creeks (Amérique) (2).

---

(1) *Journal of the Anthropological Institute*, XVI, 319. —
Report of the Smithsonian Institution for, 1883, p. 818.
(2) MORGAN. *Anc. Soc.*, p. 161. — GATSCHET. *Migration
Legend of the Creek Indians*, I, p. 155.

8·

La pluie est apparentée aux Dierys (1) (Australie du Sud), aux Moquis (Amérique) (2), aux Damanas (Afrique) (3).

Les Miamis (Amérique) se considèrent comme des hommes-neige (4). Chez les Pouteoüatmis, les membres de la tribu qui forment le clan de la Neige étaient brûlés, contrairement à ce qui se pratiquait dans les autres clans de cette tribu, parce qu'on croyait que, comme la neige vient d'en haut, de même aussi les corps des hommes-neige ne devaient pas être mis sous terre, mais traités de façon à pouvoir rejoindre la neige, leur parent des airs. « On avait un jour enterré un homme-neige et l'hiver suivant fut si long et la neige si abondante qu'on désespéra de revoir le printemps. Alors on eut l'idée d'exhumer le cadavre et de le brûler ; et voilà que la neige ne tomba plus, le printemps arriva tout d'un coup (5). »

A Samoa, les nüages, l'éclair, l'arc-en-ciel, sont des totems (6). L'averse et l'éclair sont

(1) *Journal Anthrop. Inst.*, XVI, 33 n.
(2) MORGAN. *Anc. Soc.*, p. 179.
(3) ANDERSON. *Lake Ngami*, p. 221.
(4) FRAZER. *Le Totémisme*, 1898, in-12, p. 37.
(5) FRAZER. *Le Totémisme*, 1898, in-12, p. 55, d'après *Relation des Jésuites*, 1667, p. 19. *Lettres édifiantes*, VI, 169.
(6) TURNER. *Samoa*, p. 21, 27 35, 53, 59 et 67.

les noms que donnent MM. Fison et Howit
aux deux classes primaires de la tribu Kabera
de Queensland (1).

En Australie, la tribu de l'Enconter-bay est
apparentée au tonnerre (2). C'est également
le cas de nombreux clans en Amérique, tels
les Omahas, les Kans, les Winnebagos, les
Potawatamies, les Sauks, les Renards (3).

Nous ne devrons donc pas nous étonner
si certains peuples ont admis que le vent, la
pluie et l'éclair pouvaient féconder les femmes
ou leur procurer des enfants. Je me contenterai
d'en donner quelques types :

Les fils des vents. — Les vents rapides et
légers ont semblé aux anciens, pouvoir s'unir
avec les animaux doués des mêmes qualités.
Ecoutez Virgile : « C'est surtout dans les cavales que les fureurs de l'amour sont terribles.
Vénus elle-même les leur inspira, lorsqu'aux
champs de Béotie, elles dévorèrent les membres
du malheureux Glaucus. La chaleur les emporte au delà des sommets du Gargare, au delà
des ondes bruyantes de l'Ascagne ; elles fran-
chissent les monts, elles traversent les fleuves.
A peine les feux de l'amour se sont-ils allumés

(1) *Journ. Anthrop. Inst.,* XIII, 336.
(2) A. W. Howit. *The Native Tribes of South-East Aus-
tralia,* Londres, 1904, in-8°, p. 186.
(3) Morgan. *Anc. Soc.,* p. 155, 157, 167, 170.

dans leurs veines avides, au printemps surtout
(car c'est au printemps que cette chaleur se
réveille) elles s'arrêtent sur les cimes des rochers, et tournées vers le Zéphyr, elles recueillent ses douces haleines, et souvent, ô prodige !
fécondées par son souffle seul, elles se préci-
pitent à travers les rochers, les torrents et les
vallées profondes (1) ».

Les savants ne sont pas moins affirmatifs
que les poètes. D'après Pline « Il est certain
qu'en Lusitanie, dans les environs de Lis-
bonne et du Tage, les juments, se tournant
du côté d'où vient le Favonius, aspirent son
souffle fécondant, qu'elles deviennent pleines
et que les poulains qu'elles mettent bas sont
extrêmement rapides à la course (2) ».

Le vent n'accorde pas seulement ses faveurs
aux juments et aux cavales, mais aussi aux
oiseaux. S'il faut en croire le grave Plutarque :

« Le vent même le vent peut du sein de la nue
« Féconder les oiseaux avant que soit venue
« L'époque de la ponte......(3)

Enfin nul n'ignore que le vent du printemps

(1) VIRGILE. *Géorgiques*, III, 266-276.
(2) PLINE. *H. N.*, VIII, 67. Voir également S. AUG. *Civ. Dei*, XXI, 5.
(3) *Les Symposiaques* ou les Propos de Table, lib. VIII, art. I, § 3.

avait une épouse. Chacun connaît ces beaux
vers d'Ovide :

« J'étais Chloris, moi qu'on appelle Flore :
C'est ainsi que mon nom d'origine grecque a
été corrompu par la prononciation latine.
J'étais Chloris, nymphe de cette heureuse contrée, où les hommes autrefois connurent des
jours fortunés. Parler de ma beauté coûterait
à ma modestie ; mais elle valut à ma mère un
dieu pour gendre. C'était au printemps ; j'er-
rais au hasard ; Zéphyre m'aperçoit, je m'é-
loigne ; il me suit, je fuis ; mais il fut le plus
fort (1) ».

Tous ces récits où le vent de printemps Zéphyre ou Favonius jouent le rôle de procréateur, se rattachent évidemment à un culte printanier et les Floralia (28 avril — 3 mai) n'é-
taient pas seulement la fête de Flore, mais de
Zéphyre.

Sur le temple octogone des vents, ce dieu
est beau, jeune, frais, presque nu et il glisse
dans le vague des airs. Couronné de fleurs,
avec les ailes d'un papillon, il vagabonde portant partout avec lui, la fécondité. Aussi les
fêtes qu'on célébrait en son honneur auraient-
elles pu justement s'appeler les fêtes de la
fécondité. Chacun sacrifiait alors à ce dieu et

(1) OVIDE. *Fastes*. V. 195-202.

les prières qu'on lui adressait devaient être singulièrement apparentées entre elles : Couvre la terre de verdure et multiplie les plantes de mon jardin. Protège les nids et emplis-les de pépiements. Fais que mon écurie s'enrichisse d'un poulain nouveau. Donne-nous, avec l'amour du cœur, la virilité des reins. — Les Floralia étaient fort licencieuses et il est à croire que les suppliants devaient être d'actifs collaborateurs du dieu mignon aux ailes diaprées. Vers février de l'année suivante, les fils du Zéphyre ne devaient pas être rares.

Un tel culte d'origine agricole et saisonnière était certainement antérieur à l'histoire allégorique que nous rapporte Ovide et même aux légendes qui nous parlent des fils mythiques de Favonius ou de Zéphyre.

Le monde gréco-romain n'est pas seul à avoir professé de semblables croyances. De Héra, enceinte par l'œuvre du vent et mettant au jour Héphaistos, on peut rapprocher la vierge Ilmarinen ou Ilmatar qui engendra le héros finnois Vainamoïnen sous les caresses du vent d'Est (1) et Wenohah qui, fécondée par le même vent, donna le jour à Michabo, le héros algonquin plus connu sous le nom de Hiavatha (2).

(1) *Kalevala*, Runes, XLV et L.
(2) BRINTON. *Americ. Hero-Myth.*, Philadelphia, 1882, p. 47.

Les femmes Aruntas (Australie Centrale) s'enfuient devant les tourbillons de poussière très fréquents à certains moments de l'année, par crainte de devenir enceintes (1). Evidemment celles qui désirent enfanter, au contraire, peuvent se porter au devant de la rafale. Les Binhyas de l'Inde prétendent descendre du vent (2). Suivant les habitants de Lampong, les femmes de l'île voisine d'Engano (Indonésie) ne conçoivent jamais que par le fait du vent (3).

Des fils de la pluie. — « Les Pimas de la Californie incontestablement apparentés par la langue, et, sans doute aussi par leur système de civilisation aux Mexicains proprement dits, nous racontent que dans les temps les plus reculés, une jeune vierge, d'une beauté remarquable, habitait les bords d'un lac ondoyant sur l'emplacement où se trouvent aujourd'hui les ruines de *Casas Grandes*. Elle n'aimait personne et prétendait rester fille. Une sécheresse survint qui menaçait de faire mourir la tribu de faim. Celle-ci donna à ses concitoyens des grains et des provisions qui ne s'épuisaient

---

(1) Spencer et Gillen. *Native Tribes.*
(2) A. Lang. *Mythologie*, p. 72.
(3) A. Van Gennep. *Lucina sine concubitu* dans *Revue des Idées*, 1904, I, 556, Marsden W. *The history of Sumatra*, containing an account of the Government, Laws, Customs, etc., London, 1811, in-8°, p. 297.

pas plus que ses libéralités. Un jour qu'elle
dormait, un orage éclata et une goutte de
pluie vint tomber sur sa poitrine. A l'instant
même, la jeune fille se trouva enceinte d'un
fils qui, plus tard, devint le constructeur de
Casas Grandes (1) ».

Les indigènes d'Oraïbe regardent également
leur Montezuma comme né d'une vierge rendue grosse par la pluie (2).

On est assez embarrassé pour expliquer
l'origine de semblables histoires. Il est remarquable qu'elles soient nées en des pays où les
divinités pluviales sont les divinités princi-
pales. Elles doivent se rattacher à leur culte.
La pluie, dans ces régions montagneuses, a
beau être fréquente, les pentes d'écoulement
sont si rapides, le sol est tellement aride que
l'indigène, comme sa terre, sont toujours as-
soiffés. Les rites qui semblaient devoir amener la pluie et éloigner la sécheresse durent
être considérés aussi comme propres à favoriser la conception en éloignant la stérilité. Tout

(1) H. DE CHARENCEY, *Loc. cit.*, p. 235, d'après ALBERT
EMORY. *Notes of a military record from Leaven-Worth in
Missoury to San Diego in California* dans *Senat's Documents*, Washington, 1849, p. 82-83.
(2) M. G. THOMPSON. *The Pueblos and their inhabitants*,
p. 331. — BANCROFT. *The Native Races of the Pacific States
of North America*, London, 1875, T. III, p. 175, note.

cela n'est qu'hypothèse, mais fort vraisemblable.

Les traditions en honneur dans le pays des Hottentots peuvent prêter à des considérations analogues. Après la fête de leur puberté, les jeunes filles doivent courir nues sous la pluie du plus prochain orage. L'eau, en tombant sur tout leur corps, les rend fécondes et leur assure une abondante postérité (1).

D'après un conte des tribus altaïques de la Sibérie méridionale, on s'aperçut qu'une jeune femme qui venait de se marier était déjà enceinte. Interrogée, elle répondit qu'elle avait ramassé un morceau de glace tombé en même temps qu'une pluie céleste et que l'ayant bu, elle avait trouvé deux grains de froment qu'elle avait mangé. Au bout du temps ordinaire de la grossesse, elle mit au monde deux jumeaux (2).

Les descendants de la foudre et de l'éclair. — Ching-Mou vit une grande lueur de la foudre autour des étoiles boréales ; elle en fut émue, conçut, et, après vingt-quatre mois, mit au monde Hoang-Ty sur la colline de l'Eternité. Le nom de Hoang-Ty est aussi Hiong :

(1) HAHN. *Tsuni-goam*, 87.
(2) RADLOFF. *Proben der Volks litteratur der Turkischen Stamme Süd, Sibirdens*, St-Petersburg, 1866, I, 204.

9

Ours, à cause de ces étoiles qui ont toujours porté le nom d'ourse (1).

Il n'est presque rien dont on n'attribue l'invention à Hoang-Ty. Son œuvre civilisatrice une fois accomplie, d'aucuns prétendent qu'il est monté sur le dragon et s'en est allé au ciel (2).

Le taureau Apis, adoré à Memphis et qui n'était autre qu'une forme d'Osiris, naissait d'une génisse vierge fécondée par une lueur descendue du ciel (3), rayon lunaire suivant les uns (4), éclair ou feu céleste suivant les autres (5). Et, chose curieuse, cet Apis a sur le dos l'image d'un aigle (6).

« Aigina, fille du fleuve Asopos, est enlevée par Zeus changé en aigle, d'après d'autres en feu ; il la transporta et la cacha dans l'île qui prit plus tard le nom d'Egine. De cette union, naquit Eaque, le plus pieux des hommes, plus tard juge aux enfers (7) ».

(1) P. DE PRÉMARE. Vestiges des principaux dogmes chrétiens, Paris, 1878, in-8°, p. 433.

(2) DE PRÉMARE. Loc cit., p. 434. Chez les Finnois, la déesse Nechkindé-Tevter sous l'influence d'un simple regard de son père Chkal, véritable dieu soleil, enfante Pourguiné-Paz, le dieu de l'éclair. M. MULLER, Nouvelles Etudes de Mythologie, Paris, 1898, in-8°, p. 176.

(3) HÉRODOTE, III 28.

(4) PLUTARQUE. Symposia., liv. VIII, quest. I, § 3.

(5) POMPONIUS MELA, lib. I, cap. 9.

(6) HÉRODOTE, III, 28.

(7) DAREMBERG et SAGLIO, V° Jupiter, p. 706-707.

Les Eginètes étaient donc en réalité des
fils de la foudre et de la nymphe Aigina. La
double tradition qui représente Jupiter en aigle
et en feu montre bien qu'il n'est là qu'une
personnification de la foudre. « L'histoire de la
métamorphose de Zeus en aigle, dit M. Salomon Reinach, est une addition à la légende
primitive. La preuve qu'à l'origine il s'agissait
bien d'un aigle-dieu, non d'un dieu transformé
en aigle, c'est que diverses familles royales
de l'antiquité se réclamaient de l'aigle comme
ancêtre (1). »

Cela ne me paraît pas douteux, en effet.
Mais faut-il admettre que l'aigle lui-même
n'est ici qu'une substitution allégorique au feu
du ciel ou qu'il y ait eu jadis un culte de
Jupiter-tonnerre qui se serait fondu avec un
autre culte de Jupiter-aigle, d'où proviendrait
l'image classique de l'attribut jupitérien : l'aigle portant la foudre dans ses serres?

Les textes qui nous racontent l'enlèvement
d'Aigina, d'Astéria et d'Æthalia ne sont
guère développés et ne permettent pas de répondre à la question. Les images qui se rapportent à ces histoires mythiques font plutôt
songer à l'apothéose de ces nymphes enlevées

(1) S. REINACH. *Prométhée* dans *Conf. au Musée Guimet*,
Paris, 1907, in-12, p. 99-100.

par Zeus, qu'à leur union avec le dieu du
ciel.

En Orient, le prophète Elie a remplacé les
autres divinités de l'orage. « Les Ossètes disent
d'un homme tué par la foudre : Illia l'a pris
vers lui ! Ses parents et ses amis poussent des
cris de joie, dansent autour de son corps en
chantant : Ellai, Ellai, seigneur des sommets
des rochers ! On plante, près de l'amas de
pierre qui couvre sa tombe, une perche suppor-
tant la peau d'une chèvre noire, car c'est de
cette manière qu'ils sacrifient à Elie (1) ».

Les enlèvements d'Aigina, d'Astéria, d'Æ-
thalia, traduits par les images que nous connaissons et qui furent interprétées par des
unions humano-divines, ne dériveraient-ils pas
d'une croyance analogue à celle des Ossètes;
et ne peut-on regarder ces personnages comme
des femmes qui auraient été frappées par la
foudre? Il est remarquable, toutefois, que le
fils d'Aigina soit une créature d'outre-tombe,
Eaque juge aux enfers.

De telles croyances, un tel culte devaient
supposer des rites de fécondité s'adressant à
l'orage, à l'éclair et à la foudre : Jupiter était
bien le Père par excellence des dieux et des
hommes. Mais joignit-on un sacrifice de com-

(1) D' COREMANS. *Belgique et Bohême*, II, 10.

munion de l'aigle-dieu ? Il est impossible d'en rien dire. Au reste, ce qui nous importe ici, c'est l'association des légendes de conceptions miraculeuses au culte d'un dieu-père. Zeus parvint à la monarchie divine par d'autres voies que Iaveh. Tandis que celui-ci se refusait à reconnaître des dieux dans les autres Elohims ses égaux, Zeus devint à la fois le maître des dieux et des hommes. Ces deux anciens dieux de la foudre furent élevés, finalement l'un et l'autre, au titre sublime de Père Céleste, et tous deux engendrèrent des fils dans le sein de vierges mortelles.

VII

Les Théogamies solaires
ou des naissances dues à l'action
du dieu soleil

« Le soleil offrait une origine trop glorieuse
pour qu'on ne prît pas plaisir à se l'attribuer.
Aussi parmi les totems sauvages n'y en a-t-il pas
de plus familier. Une foule d'hommes font remonter leur généalogie jusqu'au soleil, s'appellent
de son nom et portent son image. »
A. LANG, *La Mythologie* p. 182.
« Il faut que le moule mythique soit façonné
avant qu'on y verse à l'état plus ou moins fluide
le métal historique. L'imagination avait créé une
mythologie solaire. bien avant qu'elle s'incarnât
chez les Grecs en Héraklès et ses exploits »
TH. RIBOT *Essai sur l'imagination créatrice*
Paris 1900 in-8 p. 115.

Le culte des astres et, spécialement, du soleil est des plus anciens. Il se retrouve encore
chez les sauvages modernes et semble donc
compatible avec un très bas degré de civilisation.

Cependant, d'autre part, il marque un
progrès notable sur le fétichisme et sur
tous les cultes naturalistes qui se bornent

à l'adoration de la terre, de ses parties ou de ses productions. Les astres, par cela qu'ils échappent à une localisation étroite, supposent un élargissement d'horizon chez leurs adorateurs. Ils brillent pour tous les clans et resplendissent pour toutes les tribus. Si le culte du soleil, de la lune et des étoiles n'a point fait disparaître les cultes plus anciens en s'y associant, il les a néanmoins fait entrer dans une phase nouvelle. Les mouvements des astres, en permettant de distinguer dans le cours du temps une périodicité régulière, ont conduit à la sanctification de certains jours solennels où la répétition des anciens rites s'accompagnait d'un sentiment nouveau. On continua de se rendre aux fontaines, aux montagnes, aux bois sacrés, dans les temps des solstices et des équinoxes, par exemple; mais pour s'y associer aux démarches des génies des cieux et participer à leurs bienfaits divins.

Parmi les coureurs lumineux de l'éther, le soleil surtout reçut des hommages sans nombre. Il fut reconnu comme le maître souverain de l'armée des étoiles. On lui demanda ce que l'on attendait autrefois des pierres et des eaux sacrées, des plantes et animaux divins : la fécondité et la multiplication de la race des hommes. Il daigna plus d'une fois écouter ces supplications; souvent il s'unissait aux

pieuses femmes qui l'avaient honoré dans leurs
actes et dans leur cœur. Les fils des dieux qui
naquirent de sa condescendante bonté méritent
toute notre attention.

Le roi d'Argos étant sans postérité mâle
s'en fut consulter l'oracle de Delphes. Le Dieu
lui répondit que sa fille Danaé mettrait au
monde un fils qui, dans l'avenir, régnerait sur
la contrée, et dont la gloire serait sans égale :
seulement cet enfant tuerait un jour son aïeul.
Acrisios effrayé veut à tout prix empêcher l'accomplissement de l'oracle. Pour que sa fille
ne puisse devenir mère, il l'enferme dans une
chambre d'airain. Mais le dieu souverain du
ciel, épris des charmes de Danaé, déjouera
ces vaines précautions. Il se métamorphose
en une pluie d'or qui pénètre par le toit de la
prison et descend dans le sein de la vierge.
L'enfant née de cette union s'appellera Persée (1).

---

(1) DECHARME. *Mythologie figurée de la Grèce*, p. 637. —
Justin n'ignore pas cette tradition d'une vierge-mère
païenne et se garde de la rejeter au rang des fables (1ʳᵉ
Apologie, n° 54, P. G., T. VI. p. 410); craindrait-il que sa
négation atteignit par contre-coup la tradition chrétienne?...
Je ne sais; mais il identifie Zeus-soleil à un démon et considère la naissance de Persée comme un miracle de l'enfer ou
comme le fruit d'un incubat diabolique. *Dialogue avec Try-
phon*, c. 70.

La parenté de cette légende solaire avec celle
de Gilgamès permet de supposer qu'elle est
originaire de Chaldée (1). L'Asie semble au
reste avoir été la terre privilégiée des incarnations du soleil. Les anciens Parses croyaient
que les rayons du soleil levant étaient les
agents les plus propres à rendre enceintes les
jeunes mariées ; encore aujourd'hui en Perse,
le matin qui suit la nuit de noce on fait lever le
nouveau couple, de façon qu'il soit accueilli
par les premiers rayons de l'astre du jour (2) ;

(1) Gilgamès est évidemment le Gilgamos dont Elien
(*Hist. anim.*, XII, 21) raconte ce qui suit : son grand-père,
Sakharos (le même probablement qu'Evechoos, le premier roi
post-diluvien de Berose; OPPERT, *Journal asiatique*, nov.-
déc. 1890, p. 553) averti par les devins qu'un enfant de sa
fille le priverait du trône, avait fait enfermer celle-ci dans
une tour, afin qu'elle n'eut commerce avec aucun homme.
Elle se trouva néanmoins enceinte, et ses gardiens, pour ne
pas s'exposer à la colère du roi, jetèrent du haut de la tour
le fils qu'elle avait mis au monde. L'enfant, recueilli dans
sa chute par un aigle, fut transporté dans un jardin où il
fut découvert par un paysan qui se chargea de l'élever; devenu grand, Gilgamès (car c'était lui) régna sur la Baby-
lonie. » A. LOISY. *Les mythes babyloniens et les premiers
chapitres de la Genèse*, Paris, 1901, gr. in-8°, p. 103, note 1.
Si l'on doutait que le dieu qui pénétra dans la tour et
s'unit à la fille de Sakharos était une forme divine du soleil,
probablement le dieu Shamash, que les Babyloniens représentent habituellement par un aigle, on n'a qu'à rapprocher
cette légende d'une autre de ses variantes, j'entends l'histoire d'Aseneth, où celui qui pénètre dans la tour est évidemment un génie solaire. Cfr. P. SAINTYVES. *Les Saints
successeurs des dieux*, Paris, Nourry, 1907, in-8°, I, 272-
276.

(2) PLOSS. *Das Weib*, I, 446. La légende grecque a, d'ailleurs, essaimé dans l'Europe occidentale et certains contes

mais c'est l'Asie orientale qui nous en a conservé les témoignages les plus abondants. C'était une prétention commune à presque tous
les fondateurs de dynastie, en Extrême-Orient,
d'être nés d'une vierge. N'était-ce pas montrer
avec évidence qu'ils étaient les fils du Ciel ou
du soleil levant ? (1)

Un roi de Corée ayant eu en sa possession
une fille du fleuve Ho (peut-être le Fleuve
Jaune ou Hoang-Ho des Chinois), la tenait
enfermée dans son palais. Les rayons du soleil
tourmentaient la recluse qui se remuait dans
tous les sens pour les éviter.

Atteinte par la réverbération, elle conçoit et
accouche d'un œuf gros comme un demi-boisseau. Le roi fait jeter l'œuf à des porcs et à
des chiens qui n'y veulent pas toucher. Sur
ses ordres, on le porte au milieu du chemin :
mais chevaux et bœufs se détournent, semblant
craindre de l'écraser. On l'expose ensuite dans

d'Italie et de Sicile en dérivent évidemment. Cfr. GONZEN
BACH (Laura). *Sicilianische Märchen*, Leipzig, 1870, I, 177.
Voir d'autres références dans Hartland. *The Legend of
Perseus*, London, 1894, in-12, I, 99-100.

(1) Cette prétention, loin de leur être exclusive, se retrouve fréquemment en Amérique. Manco-Capac, fondateur
de la dynastie des Incas, se proclamait fils du soleil. E. DE
LAVERDAIS. *Voyage dans les Républiques de l'Amérique du
Sud, la Bolivie et le Pérou*, 1850. Le roi de Tezcuco, au
Mexique, s'affirmait aussi fils du soleil. A. RÉVILLE. *Les
Religions du Mexique*, Paris, 1885, in-8°, p. 162.

u.. désert : les oiseaux se réunissent en troupes et le couvrent de leurs ailes. Le roi veut
alors briser l'œuf, mais sans pouvoir y réussir.
Enfin on le rend à la captive qui l'enveloppe
et le met dans un lieu chaud. Quelque temps
après il se rompt et l'on en voit sortir un garçon qui, devenu adolescent, reçut le nom de
Tchu-mong, c'est-à-dire « habile à lancer des
flèches ». Lui-même s'intitulait fils du soleil
et petit-fils du fleuve Ho (1).

Une légende semblable se racontait en
Mandchourie orientale. D'après l'historien chinois, Ma-Touan-Lin, le roi des So-li ou barbares du Nord, s'étant absenté pour un voyage,
trouva, au retour, l'une de ses concubines enceinte. Il voulut la tuer. Celle-ci dit : « J'ai
aperçu dans le ciel une vapeur de la grosseur
d'un œuf ; elle est descendue en moi et c'est
ainsi que j'ai conçu. » Le roi l'ayant fait enfermer, elle enfanta d'un garçon qui fut jeté
dans une étable à porcs. Ces animaux réchauf-
fent le nouveau-né de leur haleine. On porte
alors l'enfant dans une écurie et voilà que les
chevaux, eux aussi, se mettent à le réchauffer.
Le roi, convaincu alors de la véracité de sa

(1) CHARENCEY. *Le Folklore dans les Deux-Mondes*, p.
191-192, d'après MA-TOUAN-LIN. *Histoire des peuples étrangers
à la Chine*, trad. par HERVEY SAINT-DENYS, Genève, 1876,
T. I, p. 141 et suiv.

servante, lui rendit son enfant afin qu'elle
l'élevât. On donna au jeune homme le nom
de Tong-Ming : « Clarté de l'Orient » et il
devint un fort habile archer. Il fonda la nation
et le royaume de Fou-yu, non loin de la
Corée (1).

*Thème des animaux respectueux, charitables
et adorateurs.* — Avant de continuer l'examen
d'autres légendes solaires, il faut nous arrêter
à ce trait singulier des animaux qui vinrent
protéger l'œuf qui contenait Tchu-Mong, et
réchauffer de leur haleine le petit Tong-Ming.
Si nous pouvions en déterminer l'origine, ce
serait un résultat important pour l'analyse gé-
nétique des traditions relatives à ces fils du
Ciel ou du Soleil. L'histoire bien connue de
la naissance fabuleuse de Cyrus, empreinte
d'une barbarie sauvage, va nous permettre
précisément d'avancer cette recherche :

Astyage, roi des Mèdes, eut une fille qu'il
appela Mandane. Quand elle fut nubile, il la
donna en mariage à un Perse nommé Cambyse.
Au bout d'une année, sachant qu'elle était enceinte et près d'accoucher, il la fit venir en son
palais et l'entoura de gardes. Comme il avait
eu deux visions, ses mages consultés décla-

(1) MA-TOUAN-LIN. *Histoire des peuples étrangers à la
Chine,* Génève, 1876, T. I, p. 41.

rèrent que l'enfant de sa fille régnerait un jour
à sa place. Aussi s'était-il résolu à détruire
cette progéniture. Dès que Cyrus fut né, Astyage s'en saisit, le fit parer pour la mort et
le remit à Harpage, son mède le plus fidèle,
avec ordre de le faire périr.

Harpage, plein de crainte à la pensée du
meurtre et des conséquences qui pouvaient en
survenir, prend l'enfant et s'en va tout en
larmes. Pour ne pas souiller d'un crime ses
propres mains, il le confie à l'un des pâtres de
son maître, nommé Mitradate « qu'il savait
alors avec ses troupeaux en des contrées très
favorables à l'exécution de son dessein, en
des montagnes infestées de bêtes farouches,
au nord d'Ecbatane, en tirant vers le pont
Euxin ». Lors donc que le bouvier mandé par
message fut arrivé, Harpage lui ordonne, au
nom du roi, leur maître, de faire mourir l'enfant, ajoutant « pour moi, il m'est enjoint de
le voir exposé. »

Dès que le bouvier fut de retour en son lo-
gis, sa femme, inquiète, l'interroge sur les
raisons qui l'avaient fait appeler à la cour.
« Dès qu'Harpage m'aperçut, répondit-il avec
chagrin, il me commanda de prendre au plus
vite un enfant qu'il me donna, de l'emporter
et de l'exposer dans nos montagnes aux lieux
les plus hantés des bêtes farouches » et j'ai

appris en route que ce nouveau-né, ainsi condamné à mort, était le fils de Mandane.

En achevant ces mots, il découvrit l'enfant
et le montra à sa femme. Celle-ci le trouva
beau et, comme elle venait d'accoucher quelques heures auparavant d'un enfant mort-né,
elle lui dit : « Prends ce cadavre et expose-le
à sa place ». Le bouvier se laissa toucher par
ses supplications et ainsi fut fait. Trois jours
après, il montra aux envoyés d'Harpage un
petit cadavre mutilé par la dent des fauves,
Cyrus échappa ainsi par miracle à la mort
et grandit au milieu des bouviers (1).

Astyage, roi des Mèdes, de même qu'Acrisios, roi d'Argos, a ordonné d'exposer son
petit-fils. Tous deux s'y sont résolus par suite
des craintes qu'ils avaient conçues après con-
sultation, l'un des interprètes des songes, l'autre de l'oracle de Delphes. Les deux traditions
sont donc étroitement apparentées. Mais, tandis qu'Astyage ordonne d'exposer Cyrus aux
bêtes, Acrisios commande de mettre Persée
et sa mère dans un coffre et de les exposer sur
les eaux. La relation d'Hérodote rappelle encore cette tradition des bords de l'Euphrate :

« Je suis Sargîna, le grand roi d'Agané,

« Ma mère ne connut pas mon père, mais ma
famille appartenait aux maîtres du pays.

(1) D'après HÉRODOTE, I, 107-113.

« Ma ville natale était la cité d'Atzupisani, qui est sur les bords de la rivière Euphrate,

« Ma mère me conçut (là) : elle me mit au monde dans une place secrète,

« Elle me déposa dans une corbeille de joncs; avec du bitume elle ferma le couvercle,

« Elle me porta sur la rivière et fit que l'eau ne put entrer.

« La rivière me porta jusqu'à la demeure d'Akki, l'ouvrier tireur d'eau.

« Akki, le tireur d'eau, m'éleva comme son propre fils.

« Akki, le tireur d'eau, me plaça dans une troupe de forestiers.

« Ishtar me fit prospérer; au bout de.... ans, je devins roi (1) ».

Cette très ancienne version du chef de peuple exposé dès sa naissance est déjà fort déformée; mais sa parenté avec la légende de Persée et celle de Cyrus ne peut être niée. Quelle est leur source commune?

L'exposition sur les eaux, l'exposition aux bêtes farouches, l'exposition aux animaux domestiques, forment une série qui semble devoir se rattacher à une fausse exégèse de vieilles pratiques barbares. Chez les Gaulois et les Ger-

(1) H. F. TALBOT. *The Infancy of Sargina* dans *Records of the Past*, T. V, p. 3 et suiv.

mains des rives du Rhin, on exposait les enfants suspects sur le fleuve et seuls étaient re-
connus légitimes ceux que les eaux ramenaient
vivants sur ses rives (1). Les Grecs et les Romains n'ignorèrent point cette pratique. Les
Babyloniens, les Hébreux, les Arabes et les
autres Sémites ont connu l'épreuve du fleuve (2). Les Psylles, peuples de l'Afrique du
Nord, exposaient leurs nouveau-nés au contact des serpents pour s'assurer de leur légitimité ; eux-mêmes croyaient descendre des serpents et admettaient, en conséqunce, que les
serpents ne pouvaient faire de mal à un vrai
Psylle (3).

Dans tous ces cas, s'il arrivait que l'exposition ne finît point par la mort, l'enfant était
proclamé légitime et sa mère, une épouse fidèle. Il pouvait cependant demeurer un soup-
çon qui, aujourd'hui, nous paraîtrait certes
invincible, si le mari n'avait point connu cette
femme dans le temps où l'enfant aurait dû être
conçu. Mais on avait alors la ressource d'attri-

---

(1) *Anthol.* lib. I, c. 43. Dans un conte breton, nous
voyons un père ordonné d'exposer sur mer, dans un ton-
neau, le fils de sa fille. LUZEL. *Le Chat et sa Mère* dans
Arch. des Missions scientifiques et littéraires, 3ᵉ série, T. I,
p. 40.

(2) L. G. LEVY. *La famille israélite.* in-8°, p. 242.

(3) VARRON dans PRISCIEN, X, 32, éd. Keil, T. I, p. 524;
PLINE, *H. N.*, VII, 14. — Il faut corriger le récit de Pline
à l'aide du texte de Varron.

buer la paternité à quelque dieu ; et l'explication satisfaisait également la femme qui y ga-
gnait la sécurité et l'époux qui se sentait devenir, en quelque sorte, coégal du dieu avec lequel il avait partagé ses droits. En Idonésié,
toute femme qui a un fils de père inconnu est
mise à mort, à moins qu'elle n'affirme avoir
conçu par le fait d'un esprit, auquel cas elle
est presque félicitée (1). Chez les Mordvines,
les enfants survenus avant le mariage sont
l'objet des plus grands égards dans les familles, précisément parce qu'ils pourraient être
fils de dieux ou d'esprits (2).

Mais pourquoi crut-on devoir insérer ce trait
étrange dans les légendes qui visaient à glorifier le fils divin d'une mère humaine ? Précisément, dirons-nous, par la raison qu'on attribuait leur naissance à un dieu : il sembla nécessaire qu'ils eussent été soumis à l'épreuve
de l'exposition puisqu'il en était ainsi du fils
dont le père humain et officiel n'était point le
vrai père. Au reste, on pensait encore faire
ressortir par là leur grandeur, puisque l'exposition redoutable tournait nécessairement à leur
glorification. Certes, on pourrait citer des légendes de naissances divines où ce trait ne se

(1) A. Van Gennep. *Lucina sine concubitu* dans *Revue
des Idées*, 1904, I, 555.
(2) *Journal de la Société Finno-Ougrienne*, T. V, p. 102.

rencontre pas ; mais on pourrait également allonger la liste de celles où il se rencontre.

Il se retrouve souvent, sous forme très atténuée, soit qu'on rapporte que l'enfant divin naquit en un lieu sauvage où il fut abandonné, ou bien qu'on le fasse naître dans une étable ou dans une écurie. La corbeille ou le van dans lequel on présentait Dionysos à l'adoration des fidèles rappelait par sa forme la mangeoire ou la crèche. Sa légende garde, d'ailleurs, le souvenir de l'exposition à laquelle il fut soumis lors de sa venue en ce monde.

Thème de la prédiction relative à la naissance des héros et des dieux. Les songes prophétiques et les annonciations. — Les légendes solaires présentent encore un trait de grande importance. Je veux parler des songes prophétiques et des annonciations qui précédèrent la naissance de la plupart de ces fils du soleil. Voyons-en quelques exemples :

« D'après le Pet-si, l'impératrice *Wei-Kao-Héou-tchouen* étant endormie, rêva qu'elle se trouvait debout au milieu du *Tang*, tandis que le soleil venait projeter un rayon sur elle à travers la fenêtre et la brûler. En vain cherchait-elle à s'y soustraire en se rejetant soit à gauche, soit à droite. Le lendemain, elle interrogea *Song-mien* sur ce que signifiait cette vision. Celui-ci répondit que c'était un présage merveilleux. Aussi, peu après, la princesse conçut en son sein l'enfant qui fut *Siouen-Wou-ti.* Elle vit en rêve le soleil se transformant en un dragon qui l'enveloppait, aussi donna-t-elle le jour à un prince héritier du trône (1) ».

En plein XVIe siècle, le Taiko du Japon, Hideyoshi, se réclamait encore d'une semblable origine. Il disait à l'ambassadeur du roi de Grèce : « Je ne suis pas simplement le dernier rejeton d'une humble souche ; mais ma mère rêva jadis qu'elle voyait le soleil pénétrer dans son sein, après quoi je naquis » (2).

D'autres fois, c'est l'époux, prince ou souverain, qui obtient la faveur du songe prophétique... L'empereur Ti-kou (XXIVme siècle avant J.-C.) vit également en rêve l'astre du jour et l'avala. Aussitôt son épouse se trouva enceinte, et par la suite lui donna un fils. D'après le *Tsé-Ki,* le prince King-ti du Ham, rêva d'un esprit femelle qui lui remit en main le soleil pour le donner à l'impératrice, son épouse. Celle-ci l'avala sans façon et devint mère d'un prince après quatorze mois de gestation et cet enfant fut *Wou-ti* (3) ».

(1) DE CHARENCEY. *Loc cit.,* p. 208.
(2) REED. *Japan : its History, Tradition and Religion,* London, 1880, T. I, p. 201.
(3) DE CHARENCEY. *Loc. cit.,* p. 209. — Il est fort curieux de retrouver comme un écho lointain de ces traditions aux

Ces deux dernières traditions sont étroitement apparentées. Mais la seconde présente déjà cette particularité d'un esprit femelle an-

extrémités de notre Bretagne. « L'église de Locminé, reconstruite vers le milieu du XIX° siècle donne accès à une chapelle du quinzième siècle dédiée à saint Colomban, et dans laquelle plusieurs traits de la vie du saint religieux font le sujet d'une grande verrière. On y voit, entr'autres choses : « Coment Colombain, avant qu'il fust né, fut par un songe révélé à sa mère qui le soleil regardait. » L. BURON. *La Bretagne catholique*, Paris, 1856, in-8°, p. 383-384. Cet exemple n'est, d'ailleurs, pas isolé. « Saint Willibrodd (vulgairement saint Vit) naquit l'an 657 ap. J.-C., dans le royaume de Northumbrie, en Angleterre. Son père Wilzis et sa mère Ména, favorisés d'une grande fortune, servaient Dieu d'un cœur sincère. Ils avaient vécu longtemps dans le mariage sans avoir un enfant. A force de jeûnes et de prières, ils avaient touché le ciel comme jadis saint Joachim et sainte Anne. Ména allait être mère. Quelque temps avant la naissane de l'enfant, *elle vit en songe* la lune apparaître au ciel, d'abord petite et mince, puis s'agrandir peu à peu et remplir ses cornes jusqu'à ce qu'elle resplendit dans tout son éclat. Pendant qu'elle méditait sur le sens de cette apparition singulière, la lune se glissa dans sa bouche et remplit son intérieur d'une lumière éblouissante et comme surnaturelle.

La *vision* fit une profonde impression sur Ména; elle y revenait souvent et un jour elle consulta un pieux moine des environs pour en avoir l'explication. Celui-ci lui répondit qu'elle aurait un fils, qui ramènerait bien des peuples des ténèbres du paganisme à la lumière de la vraie foi catholique. » ABBÉ J.-B. KRIER. *La procession dansante ou le pèlerinage au tombeau de saint Willebrord à Echternach*, Luxembourg, 1888, in-18, p. 3.

On peut encore rapprocher de ces deux histoires le conte pieux rapporté dans une curieuse production irlandaise intitulée : *Life of Saint Molasius of Devenish*. Cfr. *Silva Gadelica a collection of tales in Irish*. London, 1892, II, 19. Les récits de rêves de cette espèce sont d'ailleurs fort répandus. Cfr. Hartland. *The Legend of Perseus*, I, 111, note 1.

nonciateur, distinct du principe générateur.
En d'autres cas, c'est le dieu qui doit s'in-
carner qui se charge lui-même d'annoncer sa
venue : Une nuit, la mère de Sotoktaïs vit en
songe un saint environné de rayons lumineux,
qui lui dit : « Moi, le saint Gouro-Cosats, je
renaîtrai encore pour enseigner le monde et,
à cet effet, je descendrai dans ton sein. » A
l'instant, elle se réveilla et se trouva enceinte.
Huit mois après, elle entendit très distincte-
ment l'enfant _ arler dans son sein, et accoucha
le douzième mois sans peine et même avec
plaisir, d'un fils qui fut nommé Moumaya do-
no-osi, c'est-à-dire né à la porte d'une écurie,
car c'est là, en effet, que Sotoktaïs vit le jour
d'après les annales du Japon (1). Sa mère
passe d'ailleurs pour vierge (2).

En Chine, Niu-tang, la mère de l'empereur
Chin-Noung, conçut par la faveur d'un esprit
qui lui apparut (3). Celle de *Tchang-too-ling*
serait devenue enceinte pour avoir vu en songe
un esprit qui descendait de la Grande-Ourse,
vêtu d'une longue robe brodée et portant à la

(1) Abbé Bertrand. *Dict. des Religions*, V° So-tok-taïs,
IV, 108.
(2) Kœmpfer. *Hist. du Japon*, trad. Scheuchzer Amsterdam, 1732, I, 263-264.
(3) P. de Prémare. *Rech. sur les Temps antérieurs au
Chou-King* dans *Collection des livres sacrés de l'Orient*,
éd. du Panthéon, p. 37.

main une fleur parfumée. L'odeur de cette fleur se répandit sur elle et c'est ainsi qu'elle se trouva grosse (1).

Ces deux derniers cas sont assez peu clairs et l'on ne sait si l'esprit annonciateur est également celui qui s'incarne. Mais il en est de beaucoup plus nets. *Tchang-Shi* priait instamment *Hou-tou*, l'esprit de la terre, pour obtenir un fils. Un jour, *elle vit en songe* un esprit couvert d'une cuirasse d'or et armé d'une grande hache. Il tenait de la main droite une perle magnifique et dit à la dame endormie : « Je suis l'esprit *Lu-kin*, l'envoyé du Maître Suprême. Je désire que vous soyez mère; y consentez-vous ? » *Tchang-Shi* répond qu'elle était soumise aux ordres du ciel. Là-dessus l'esprit dépose la perle dans le sein de cette dernière et douze mois après elle donnait naissance à un fils (2).

On retrouve ce même thème légendaire aux deux bouts du monde en Irlande et au Mexique : Dechtiré revenant de l'enterrement d'un nourrisson qu'elle avait tendrement aimé, demande à boire. Comme elle portait la coupe à ses lèvres, elle sentit une petite créature entrer dans sa bouche avec la boisson. S'étant désal-

(1) DE CHARENCEY. *Loc. cit.*, p. 204.
(2) DE CHARENCEY. *Loc. cit.*, p. 205.

térée, elle s'alla coucher; un homme lui apparut en songe qui lui déclara entr'autres choses, qu'il avait été son nourrisson, mais qu'il était maintenant dans son sein : « Vous êtes enceinte de moi, lui dit-il, et vous devrez me donner le nom de Stanta. » Cet homme était Lug, l'une des anciennes divinités celtiques, identifiée avec le petit-fils de Balor, le guerrier mythique de l'antique Islande (1).

Au dire de l'historien Mendieta, Chimalman étant occupée à balayer, avala une pierre de jade et se trouva aussitôt enceinte d'un fils Quetzalcoatl (2). Mais d'après une autre source qui ne fait que compléter ce récit, voici comment la chose se serait passée : Le dieu Citbaltonac (étoile brillante) envoya du ciel un messager à la vierge *Chimalman* pour lui annoncer qu'il voulait qu'elle conçut d'une façon toute miraculeuse. Les deux sœurs de Chimalman moururent de frayeur à la vue de l'envoyé céleste. Quant à Chimalman, elle enfanta Quetzalcoaltl, depuis adoré comme dieu de l'air (3).

(1) ARBOIS DE JUBAINVILLE. *Epopée Celtique*, p. 37. — Une femme du Queensland peut devenir enceinte pour avoir rêvé qu'elle portait un enfant dans son sein. A. VAN GENNEP. *Mythes et Légendes en Australie*, Paris, 1905, in-8°, p. LI.

(2) MENDIATA. Hist. Eccles. indian. pr. 82-83.

(3) E. BAUVOIS. *Deux sources de l'histoire de Quetzalcoatl*, dans *Muséon*, 1886, T. V, p. 435.

Il ne s'agit plus ici d'un songe ou d'un rêve, dira-t-on, cela tient à l'amphibologie que comporte dans de semblables récits le mot *apparut*. Mais s'il s'agit ici d'une apparition de la veille et non du sommeil, il est certain que les premiers récits de ce genre étaient relatifs à des songes prophétiques.

Ces songes pouvaient être provoqués simplement par les préoccupations et les désirs d'une femme stérile; mais le plus souvent ils se produisaient à la suite de pratiques appropriées : prières, jeûnes, macérations, philtres et surtout les sacrifices et les veilles dans les temples (1).

« Nabhi, désirant avoir une postérité, offrit, dans le recueillement avec Mêrou-dêvi, sa femme, qui était stérile, un sacrifice à Bhagavat (Vichnou) le mâle du sacrifice.

Pendant qu'avec un cœur purifié par la foi, ils exécutaient la cérémonie, et au moment où s'accomplissaient les actes les plus importants, Bhagavat, que l'on n'obtient pas aisément, même par l'emploi de tous les moyens, tels que les substances, le lieu, le temps, les mantras (prières traditionnelles), les Ritvidgs (prêtres officiants), les présents, et les règles

---

(1) Dans le Taittiriya-Brâhmana (I, 1, 9, 1) nous voyons Adete, mère d'Indra, offrir un *brahmandana* aux Satyres, afin d'obtenir progéniture. Cfr. Rig-Veda, IV, 18, 1.

10

convenables... Bhagavat, dis-je, leur apparut... et dit : « Je descendrai donc à l'aide de ma substance au sein de la femme du fils d'Agnîdhra, qui n'a pas d'enfants (1) ».

Les songes ainsi obtenus étaient considérés comme célestes et vraiment prophétiques. C'étaient des réponses divines aux questions ou aux espoirs des époux sans enfants. Parfois, elles favorisaient même les mères qui avaient déjà conçu, sans doute en considération de la sainteté de celui qu'elles portaient dans leur sein.

« Comme Apollonius de Tyane était encore dans le ventre de sa mère, elle eut une vision : c'était le dieu égyptien Protée, le même qui, chez Homère, prend tant de formes diverses. Sans se déconcerter, elle lui demanda qui elle devait enfanter. — « Moi, répondit le dieu ! — Qui, toi ? — Protée, dieu des Egyptiens (2) ».

Même chose dans la légende de Zoroastre. Tout d'abord sa naissance fut la récompense d'un sacrifice que son père Pourus-haç-pa offrit au saint Haoma (3). Et lorsque Daghda

---

(1) Eug. Burnouf. *Bhâgavata-purana*, V, III, I, 20.
(2) Philostrate. *Apollonius de Tyane*, I, 4, trad. Chassang, Paris, 1862, in-12, p. 5.
(3) C. de Harlez. *Avesta, Yaç na*, IX, 40-43, Paris, 1881, in-4°, p. 282. — Le Haoma à la fois plante et dieu du sacrifice, est évidemment un ancien totem végétal. On l'invoquait contre la stérilité (*Avesta Yaç na*, IX, 72, loc. cit., p. 284). Et sans doute le sacrifice de communion dans lequel les époux stériles offraient le dieu à lui-même et commu-

ou Dogdo, la mère de Zoroastre, l'eut conçu,
elle eut un songe où elle vit les luttes réservées
au fils qui lui devait naître. Des animaux se
précipitaient sur lui pour le dévorer. Mais la
voix de l'enfant lui-même la rassurait et un
brillant jeune homme, tenant d'une main un
écrit et de l'autre un bâton, symbole de prophétie, s'avançait entouré d'une resplendissante
auréole et mettait ces animaux en fuite (1).
Certaines légendes lui prêtent même ces paroles : Ne crains rien, le roi du ciel protège
l'enfant ; le monde est plein de son attente et
il fera boire ensemble le lion et l'agneau.

Il ne faut point croire que ces sortes de pré-
parations prophétiques se soient localisées dans
l'Orient ou dans la lointaine Amérique. Nous
les retrouvons en Egypte. Les peintures des
temples de ce pays qui représentaient la naissance divine des rois avaient ordinairement
pour pendant une annonciation. Sur le mur
du temple de Louqsor, on voit le dieu Thot à
tête d'ibis, verbe et messager des dieux, qui
vient annoncer à la reine Maud qu'elle aura
bientôt un fils, grâce à la bonté d'Ammon (2).

niaient à son corps, était le rite le plus efficace pour obtenir
progéniture. Cfr. *Une curieuse légende relative à Zoroastre*
dans C. DE HARLEZ, *Avesta*, p. CCXIV.

(1) G. DE LAFONT. *Le Masdéisme*, Paris, 1897, in-12,
p. 121.

(2) SHARPE, *Egyptian Mythology*, p. 18-19.

On ne doit plus guère s'étonner, par suite, que ce thème miraculeux se retrouve dans le *Protévangile de Jacques* (1) non plus que dans l'*Evangile de saint Luc*, incontestablement postérieurs aux peintures de Louqsor, et rédigés probablement lorsque depuis longtemps déjà circulaient quelques-unes des traditions chinoises que nous avons rapportées.

« Au temps d'Hérode, roi de Judée, il y avait un sacrificateur nommé Zacharie, du sang d'Albia ; sa femme était du sang d'Aaron et s'appelait Elisabeth.

Ils n'avaient point d'enfants parce qu'Elisabeth était stérile, et qu'ils étaient tous deux avancés en âge.

Or, il arriva que Zacharie faisait ses fonctions de sacrificateur devant Dieu, dans le rang de sa famille.

Il lui échut par sort, selon la coutume établie par les sacrificateurs, d'entrer dans le temple du Seigneur pour y offrir des parfums.

---

(1) Joachim et Anne, dit ce livre, après vingt ans de mariage, ne possédaient encore aucun enfant et leur union inféconde, en même temps qu'elle les attristait, les mettait en butte au mépris public. Un jour, pendant qu'il était dans la campagne à garder ses troupeaux, Joachim vit apparaître un ange qui lui annonça la naissance d'un enfant. Anne, de son côté, reçut le même message. Neuf mois après, l'enfant *annoncé* vint au monde, on lui donna le nom de Marie. BRUNET. *Dict. des Apocryphes*, I, 1015-1016. La partie du livre qui contient ce récit est attestée par ORIGÈNE. *In Matth.*, X, 17.

Et toute la multitude du peuple était dehors en prières à l'heure qu'on offrait les parfums.

Alors un ange du Seigneur lui apparut, se tenant debout au côté droit de l'autel des parfums,

Et Zacharie le voyant, en fut troublé et la frayeur le saisit.

Mais l'ange lui dit : Zacharie, ne crains point, car ta prière est exaucée, et Elisabeth, ta femme, t'enfantera un fils et tu lui donneras le nom de Jean.

Il sera pour toi un sujet de joie et de ravissement, et plusieurs se réjouiront de sa naissance.

Car il sera grand devant le Seigneur; il ne boira ni vin, ni cervoise et il sera rempli du saint Esprit dès le ventre de sa mère;

Il convertira plusieurs des enfants d'Israël au Seigneur, leur dieu,

Et il marchera devant lui dans l'esprit et dans la vertu d'Elie, pour tourner les cœurs des pères vers les enfants, et les rebelles à la Sagesse des Justes, afin de préparer au Seigneur un peuple bien disposé.

Et Zacharie dit à l'ange : A quoi connaîtrai-je cela, car je suis vieux et ma femme est avancée en âge?

Et l'ange lui répondit : Je suis Gabriel qui assiste devant Dieu; et j'ai été envoyé pour te parler et t'annoncer de bonnes nouvelles.

Et voici, tu vas devenir muet, et tu ne pourras parler jusqu'au jour que ces choses arriveront, parce que tu n'as pas cru en mes paroles qui s'accompliront en leur temps.

Cependant le peuple attendait Zacharie et s'étonnait de ce qu'il tardait si longtemps dans le temple.

Et quand il fut sorti, il ne pouvait leur parler et ils connurent qu'il avait eu quelque vision dans le temple, parce qu'il leur faisait entendre par des signes; et il demeura muet.

Et lorsque les jours de son ministère furent achevés, il s'en alla en sa maison.

Quelque temps après, Elisabeth, sa femme, conçut; et elle se cacha durant cinq mois et disait :

C'est là ce que le Seigneur a fait en ma faveur, lorsqu'il a jeté les yeux sur moi, pour ôter l'opprobre où j'étais parmi les hommes.

Or, au sixième mois, Dieu envoya l'ange Gabriel dans une ville de Galilée appelée Nazareth.

A une vierge fiancée, à un homme appelé Joseph, de la maison de David; et cette vierge s'appelait Marie.

Et l'ange étant entré dans le lieu où elle était, lui dit : Je te salue, toi qui es pleine de grâce; le Seigneur est avec toi; tu es bénie entre toutes les femmes.

Et ayant vu l'ange, elle fut troublée de son discours et elle pensait en elle-même ce que pouvait être cette salutation.

Alors l'ange lui dit : Marie, ne crains point, car tu as trouvé grâce devant Dieu.

Et tu concevras et tu enfanteras un fils, à qui tu donneras le nom de *Jésus*.

Il sera grand et sera appelé Fils du Très-Haut, et le Seigneur Dieu lui donnera le trône de David, son père.

Il règnera éternellement sur la maison de Jacob et il n'y aura pas de fin à son règne.

Alors Marie dit à l'ange : Comment cela se fera-t-il, puisque je ne connais point d'homme ?

Et l'ange lui répondit : Le Saint-Esprit surviendra en toi, et la vertu du Très-Haut te couvrira de son ombre ; c'est pourquoi aussi le saint enfant qui naîtra de toi sera appelé le Fils de Dieu.

Et voilà, Elisabeth ta cousine a aussi conçu un fils en sa vieillesse ; et c'est ici le sixième mois de la grossesse de celle qui était appelée stérile.

Car rien ne sera impossible à Dieu.

Et Marie dit : Voici la servante du Seigneur ; qu'il m'arrive selon ce que tu m'as dit. Alors l'ange se retira d'avec elle (1) ».

_____

(1) Luc, I, 5-38.

Le récit évangélique, pas plus que d'autres traditions qui contiennent ce trait ne sont des légendes solaires, mais si j'ai cru bon de les grouper ici, c'est que le thème du songe ou du messager annonciateur se rencontre le plus souvent associé à cette catégorie de légendes.

L'ange Gabriel idéalise définitivement le type de l'annonciateur des légendes ; mais en même temps, il en marque admirablement le rôle essentiel.

Thème de l'étoile de la Nativité. — Le culte du soleil est ordinairement associé au culte de la lune et des étoiles. De là un autre thème miraculeux fréquemment introduit dans les légendes solaires. La lune et les étoiles, tout comme le soleil, se sont parfois humanisées en s'enfermant dans le sein des femmes (1). Mais

---

(1) L'épouse de Wou-ti des Liang avait vu la lune descendre dans son sein et la féconder (DE CHARENCEY. *Loc. cit.*, p. 209). Les Chiquitos de l'Afrique du Sud appellent la lune leur mère (*Ciel et Terre, Erreurs populaires et préjugés*, Mons, 1890, in-8°, p. 72). Ne se figurait-on pas, hier encore, en Basse-Bretagne, que les femmes et les filles doivent se garder le soir de se tourner pour uriner vers la lune, surtout lorsque cet astre est cornu, c'est-à-dire dans ses premiers quartiers ou bien en décroît, sans cela l'imprudente courait risque de se trouver *lunée*, c'est-à-dire enceinte par l'action de Phœbé et de donner naissance à un loarer ou lunatique (F.-M. LUZEL. *La Lune* dans *Revue Celtique*, 1876-78, III, 452). Les Hindous pensent qu'il est bon quand la lune brille, de se placer sous ses rayons de façon à prendre une sorte de bain de lune; ce bain entretient la vigueur génitale et rend le devoir du mariage plus agréable

plus souvent encore elles ont influencé la naissance des héros ou des dieux. Nombre d'entre
eux naquirent sous une lune favorable ou sous
une bonne étoile. Parfois enfin l'étoile qui

(Dʳ Ch. Valentin. *Notes sur l'Inde*, Paris, 1906, in-12,
p. 124. Pour d'autres faits analogues, P. Sébillot. *Le
Folklore de France*, Paris, 1904, in-8°, I, 41-42 et note 3
de la page 41.
La mère de l'empereur chinois, Yao, conçut par la clarté
d'une étoile qui s'épandit sur elle pendant un songe (Dʳ
Charencey. *Loc. cit.*, p. 203). Le célèbre poète Li-taï-pé
semble, d'après la légende, être né des rayons de l'étoile
Vénus (Taï-pé) (*Muséon*, 1893, T. XII, p. 369-370). On
trouve une fable analogue dans un conte annamite. Landes.
Contes et légendes annamites, Saigon, 1884, p. 12. En
Bretagne, on regardait St-Aidan ou Méadoc (honoré le 3
janvier) comme le fils d'une étoile tombée dans la bouche de
sa mère endormie (F. M. Luzel. *Revue Celtique*, 1883,
T. V, p. 27). — Saint Kieran, le premier saint qui vécut
sur le sol de l'Irlande, fut exactement conçu de même.
Silva Gadelica, II, p. 1. Les Mandans de l'Amérique du
Nord croyaient que les étoiles étaient des morts; lorsqu'une
femme prenait le lit, une étoile tombait, entrait en elle, et
bientôt un enfant naissait. Maximilian Prinz zu Wied,
Reise in das Innere Nord-America, II, 152, cité par Frazer.
Le Rameau d'or, II, 33.
D'autre fois, il s'agit uniquement d'une lumière nocturne
qu'on peut attribuer soit à la lune soit aux étoiles. Plusieurs tribus tartares prétendent descendre de la vierge
Alankava, fille de Gioubiné, fils de Bolduz, roi des Mon-
gols. Une nuit elle fut éveillée par une grande lumière
qui la baignait tout entière, pénétrait dans sa bouche et
traversait tout son corps. Comme cette merveille se re-
nouvela plusieurs nuits, afin de dissiper les soupçons qu'auraient pu subir sa vertu, on introduisit les principaux de l'assemblée du peuple pour assister à l'avènement. Au terme
de sa grossesse, Alankava donna naissance à trois fils de
l'un desquels descendirent Genghis Khan et Tamerlan. Hartland. *The Legend of Perseus*. London, 1894, in-12, I, 115.

avait présidé à quelque conception surhumaine
se manifestait avec éclat aux yeux de tous ; de
même on la vit réapparaître dans les moments
solennels de l'existence héroïque à laquelle elle
était associée.

Dans le Bhagavet, il est parlé d'un météore lumineux qui annonça la naissance de
Krichna (1). Dans la légende chinoise de
Bouddha, une lumière miraculeuse annonça
sa conception (2). La grandeur future de Mi-
thridate avait été annoncée par une comète qui
était apparue vers le moment de sa naissance
et celui de son accession au trône (3). César aurait vu paraître dans la nuit qui précéda la bataille de Pharsale, l'étoile Ira de la constella-
tion du Lion, laquelle s'était montrée à l'époque
de sa naissance et ne s'est plus fait voir depuis (4).

(1) Abbé Bertrand. V° *Krichna* dans *Dict. des Religions*,
III, 272.
(2) Samuel Béal. *The Romantic Legend of Sakya Buddha*
p. 37.
(3) Justin. *Hist.*, XXXVII, 2.
(4) Suétone. *J. César.* Une comète parut en l'an 44, vers
l'époque de la mort de César. Son héritier « voulut que la
comète fut l'âme de son père; mais il ne lui déplaisait pas
que les haruspices ou les oracles sibyllins annonçassent l'a-
vènement d'un nouvel ordre de choses. Il gardait par de-
vers lui l'idée que cet astre était aussi son étoile à lui,
l'horoscope de la nouvelle naissance qui le faisait fils adoptif de César ». Bouché-Leclercq. *L'Astrologie grecque*,
Paris, 1899, in-8°, p. 549.

Certains peuples ont pensé que la chute d'une étoile filante ou l'apparition de quelque autre météore présageait la mort du roi régnant (1). Elle devait donc du même coup annoncer le nouveau prince qui lui succéderait.

L'astrologie du Moyen-Age n'est qu'une astrolâtrie exsangue. Mais ces récits légendaires naquirent à une époque où l'on adorait encore les astres et ainsi s'explique tout naturellement qu'ils soient venus se greffer sur des légendes solaires comme celle de Bouddha. D'ailleurs, ces récits une fois inventés, il était inévitable que leurs migrations provoquassent des greffes littéraires, telles les étoiles de Mitridate et de J. César, telle encore l'histoire évangélique de l'étoile des Mages. Une métaphore souvent y suffit.

Dans un apocryphe des premiers siècles et dû à un Juif passé au christianisme, nous trouvons deux allusions à l'étoile qui devait marquer la naissance de Jésus. Il s'agit du *Testament des douze patriarches. Juda,* l'un des douze y déclare simplement ceci : « Le Seigneur vous visitera dans sa miséricorde et sa charité et vous délivrera de l'esclavage de vos ennemis, en faisant lever sur vous un astre de la maison de Jacob au milieu d'une pro-

---

(1) FRAZER. *Le Rameau d'or,* trad. *Stiebel et Toutain,* Paris, 1908, in-8°, II, 30-33.

fonde paix (1). » Mais le patriarche *Levi* est
bien autrement explicite : Le Seigneur sus-
citera un nouveau prêtre, à qui toutes les paroles de Dieu seront révélées, il établira un
jugement de vérité sur la terre pendant tous les
siècles. Un astre particulier s'élèvera pour lui
dans le ciel, il sera glorifié dans tout l'univers
comme un roi (2). »

Ces paroles pseudo-testamentaires font évidemment allusion aux paroles de Balaam quand
il prophétise qu' « une étoile sortira de Jacob (3). » Mais il faut avouer que dans les
paroles que l'on prête à Lévi, la phrase inno-
cente de Balaam a été extraordinairement précisée. Cette évidente matérialisation d'une métaphore nous fait comprendre comment s'est
formé tout le récit de Mathieu :

« Jésus étant né à Bethléem, ville de Judée,
au temps du roi Hérode, des mages d'Orient
arrivèrent à Jérusalem, et dirent : Où est le roi
des Juifs qui est né? car nous avons vu son
étoile en Orient, et nous sommes venus l'adorer. Le roi Hérode l'ayant appris, en fut troublé et tout Jérusalem avec lui... Alors Hérode
ayant appelé en secret les mages, il s'informa
d'eux exactement, du temps auquel ils avaient

(1) BRUNET. *Dict. des Apocryphes*, I, 882.
(2) BRUNET. *Dict. des Apocryphes*, I, 872.
(3) *Nombres*, XXIV, 17.

vu l'étoile. Et les envoyant à Bethléem, il leur
dit : « Allez et informez-vous exactement de
ce petit enfant, et quand vous l'aurez trouvé,
faites-le-moi savoir, afin que j'y aille aussi et
que je l'adore.

Eux donc, ayant ouï le roi, s'en allèrent ; et
voici l'étoile qu'ils avaient vue en Orient allait
devant eux jusqu'à ce qu'étant arrivée sur le
lieu où était le petit enfant elle s'y arrêta (1). »

Mathieu semble avoir voulu témoigner que
cette tradition était d'origine asiatique (2) en
introduisant, dans son récit, les représentants
classiques de l'astrologie chaldéenne, les mages
fabuleux qui font la joie et l'étonnement des
enfants (3).

« L'astrologie avait pénétré dans le monde
romain par la Syrie qui, depuis longtemps en
contact avec la Chaldée, entretenait dans toutes les villes de l'empire de nombreuses colo-

(1) *Mathieu*, II, 1, 9.
(2) Sur les influences de l'Orient sur le Christianisme,
voir A. Metzger et L. de Milloué. *Matériaux pour servir
à l'histoire des origines orientales du Christianisme*, Paris,
1906, in-12, spécialement préface, p. V et VI.
(3) Les Chrétiens orientaux firent prophétiser toute cette
histoire par Zoroastre qu'ils continuèrent de vénérer à l'égal
des grands nabis d'Israël : « Zoroastre, disent-ils, annonça
à ses sectateurs la venue du saint et les avertit de l'étoile
qui devait paraître à sa naissance pour la leur signifier,
et accompagner les adorateurs du Messie jusqu'au lieu de
sa naissance. » Herbelot. *Bibliothèque Orientale*, éd. Maes-
tricht, in-f°, p. 919.

11

nies d'esclaves et de trafiquants. Répandus partout, comme les Juifs d'aujourd'hui, les Syriens étaient devenus les apôtres intéressés de leur croyance : peuple d'astrologues, ils débitaient à bon marché pour le compte des petites bourses une science don: tout le monde ne pouvait pas aller consulter les docteurs. *C'étaient eux qu'on nommait les Chaldéens* (1). »

Or, la critique tend précisément à placer en Syrie, la rédaction de l'Evangile de Mathieu. — Saint Ignace d'Antioche nous donne, d'autre part, une variante de ce récit qui en accentue le caractère astrologique. « Un astre dans le ciel resplendit plus que tous les autres astres, et son état était inexprimable et sa nouveauté frappait d'étonnement; *tous les autres astres avec le soleil et la lune formèrent un chœur autour de l'astre* qui, lui-même, les surpassait tous par son éclat; et on se demandait dans son trouble d'où venait cette chose nouvelle différente des autres (2). »

Servius, sur le dire de Varron, nous rapporte une tradition semblable au sujet d'Enée. « Depuis son départ de Troie, il vit tous les jours, l'étoile de Vénus, jusqu'à ce qu'il

(1) Abbé de Genouillac. *L'Eglise chrétienne au temps de saint Ignace d'Antioche*, Paris, 1907, in-8°, p. 17.
(2) Saint Ignace. *Ad. Eph.*, XI, 2.

arrivât aux champs Laurentins, où il cessa de la voir, ce qui lui fit connaître que c'étaient les terres désignées par le destin (1). » Varron qui avait commandé une escadre contre les pirates de Cilicie, a sans doute rapporté cette tradition d'Asie Mineure (2).

Le thème de l'Hosannah miraculeux. — Les songes qui annoncent la naissance des héros, l'étoile qui la signale aux nations, l'exposition qui doit établir leur légitimité, peuvent paraître des thèmes plus ou moins artificiellement rattachés aux légendes solaires. Je ne prétends point qu'ils leur soient essentiels ; mais, en fait, on les rencontre surtout dans des traditions qui, plus ou moins directement, dérivent d'anciens mythes solaires. Il en est de même du Thème de l'Hosannah. Cependant, il est facile d'établir par quels liens naturels tous ces traits légendaires furent rattachés à la naissance miraculeuse des fils du Soleil.

Il vint un temps où l'astrolâtrie, et spéciale-

(1) SERVIUS. *Æn.*, II, 801; III, 386. — Ce même fait se retrouve dans le mythographe publié par MAI. *Classici auct*, T. III, p. 252.

(2) Le caractère astrologique de l'étoile des Mages était si fortement marqué, que beaucoup y virent un certificat de véracité pour la science des Chaldéens et des Syriens. Les Pères de l'Eglise durent combattre cette prétention, ils n'y arrivèrent ni sans difficulté ni sans peine. Cf. BOUCHÉ-LECLERCQ. *L'Astrologie grecque*, Paris, 1899, p. 611-613.

ment le culte du soleil, se substitua comme culte public au culte naturaliste des pierres, des arbres et des eaux. Cette superposition se produisit sous la double influence de l'observation des cieux et de la pratique des rites agricoles nécessairement saisonniers. Il en résulta que ces derniers rites, essentiellement orientés à la fécondité de la terre, furent utilisés dans le but d'influencer les mouvements des astres qui président aux saisons. Ainsi, de très vieux rites de fécondité mi-totémiques et mi-agricoles furent transposés au culte solaire. On perdit de vue leur origine : mais on n'oublia pas à quelle fin les employer. C'est alors que naquirent ces contes de l'incarnation du soleil. Sur les rites de fécondité, utilisés pour rendre le soleil plus actif, se sont greffées ces divines histoires qui furent, sous tant de formes, l'enchantement de notre enfance.

L'annonciation de la venue d'un dieu, se rattache ainsi à l'annonciation du printemps et aux rites qui préparaient sa venue. L'étoile de nativité devint l'étoile qui présage, par son lever, la prochaine arrivée de la saison bénie. Les prêtres d'Egypte avaient charge d'apprendre à la foule l'apparition de Sirius, présage du printemps prochain et de la résurrection d'Osiris. L'exposition du fils qui doit détrôner son père ou son aïeul, devint l'occasion d'un triomphe pour le nouveau soleil qui doit chasser l'ancien. L'allégresse des parents, lorsqu'il leur naît un fils, eut son pendant dans l'hosannah miraculeux que chante la nature entière en l'honneur du soleil printanier ou du soleil nouveau. Les boutons s'épanouissent, les fleurs s'ouvrent, les nids chantent et les hommes se reprennent à espérer. Nul doute que le thème de l'Hosannah miraculeux ne se rattache précisément à des rites d'allégresse qui se pratiquaient en des fêtes joyeuses, participant à la fois de notre Noël et de nos Pâques fleuries.

Confucius, le restaurateur de la secte appelée In-Kiao, est vénéré en Chine presque à l'égal d'un dieu. Il naquit l'an 551 avant J.-C., dans le petit royaume de Lou, aujourd'hui province de Chan-toung, sous le règne de l'empereur Ling-Wang, et se trouve ainsi éloigné d'un siècle de Bouddha (622?) de Zoroastre (650?) et de Solon (640?); contemporain de Lao-tsé (604) et de Pythagore (608 ou 572); d'un siècle plus ancien que Socrate (470).

De nombreux signes miraculeux auraient accompagné sa naissance. Au moment même où il naquit, deux dragons apparurent dans les airs au-dessus de sa maison et cinq vieillards vénérables représentant des cinq planètes entrèrent ensemble dans l'appartement de l'accouchée. Une musique harmonieuse emplit les airs et une voix qui venait des cieux clamait : Celui-ci est le fils du ciel, un enfant divin, c'est pourquoi la terre retentit de mélodieux accords (1).

Krichna ne fut pas moins favorisé. Quand il naquit, « tous les Dévatas (esprits célestes) ayant laissé leurs chars dans les espaces des airs, et s'étant rendus invisibles, vinrent à Mathoura dans la maison de Vasou-Dêva, dont la femme Dévaki portait Krichna dans son sein. Là, les mains jointes, ils récitèrent les Védas et chantèrent des louanges en l'honneur de cette divine grossesse. Personne ne les vit, mais chacun put entendre leurs chants.

Une fois Krichna transporté de la prison paternelle dans la campagne où il devait être nourri, « tous les vachers et les bergers de Gohoula firent prendre à leurs femmes des pots de lait sur la tête, et eux-mêmes vinrent en dansant et en chantant offrir à Nanda (le serviteur chargé de l'élever) leurs dons et leurs congratulations (2). »

La version chinoise du Lalita Vistara nous apprend qu'à la naissance de Bouddha, la

---

(1) Cfr. La communication du mandarin Pùng Kwang Yu dans *Report of Parliament of Religions*, 1893, I, 496.
(2) Cité par A. BERTRAND. *Dict. des Religions*, I, 272. — Voir aussi METZGER et L. DE MILLOUÉ. *Loc. cit.*, p. 12 et 17.

terre trembla, des ondées de pluies parfumées
et de fleurs de lotus tombèrent d'un ciel sans
nuages, tandis que les Dévas, dans les airs,
chantaient au son des musiques : Aujour-
d'hui, Bodhisattva est né sur la terre, pour
donner la joie et la paix aux hommes et aux
dévas, pour répandre la lumière dans les endroits obscurs et pour donner la vue aux aveu-
gles (1). »

Il est à remarquer que l'ensemble des traditions relatives à Bouddha, à Krichna et à
Confucius, naquirent chez des peuples agricul-
teurs; et que le fils du ciel y préside encore
chaque année, la cérémonie sacrée des se-
mailles.

N'est-on pas fondé à trouver quelque parenté entre ces traditions orientales et le récit
suivant de saint Luc : « Joseph aussi monta
de Galilée en Judée... pour être enregistré avec
Marie son épouse, qui était enceinte. Et pendant qu'ils étaient là, le temps auquel elle devait accoucher arriva. Et elle mit au monde
son fils premier né et elle l'emmaillota, et le
coucha dans une crèche, parce qu'il n'y avait
point de place pour eux dans l'hôtellerie.

Or, il y avait dans la même contrée des ber-

---

(1) SAMUEL BÉAL. *The Romantic legend of Sakya Bouddha*, l. VIII, p. 56 à comparer avec V. FAUSBOLL. *The
Sutta Nepâta...*, p. 126.

gers qui couchaient aux champs, et qui y gar-
daient leurs troupeaux pendant les veilles de la
nuit. Et tout à coup, un ange du Seigneur se
présente à eux et la gloire du Seigneur resplendit autour d'eux et ils furent saisis d'une
grande peur. Alors l'ange leur dit : « N'ayez
point peur; car je vous annonce une grande
joie qui sera pour tout le peuple. C'est qu'aujourd'hui, dans la ville de David, le Sauveur,
qui est le Christ, le Seigneur nous est né. Et
vous le reconnaîtrez à ceci : c'est que vous
trouverez le petit enfant emmailloté et couché
dans une crèche. Et au même instant il y eut
avec l'ange une multitude de l'armée céleste
louant Dieu et disant : Gloire à Dieu, au plus
haut des cieux; paix sur terre, bonne volonté
envers les hommes! (1) »

Comment ne pas remarquer le rôle des bergers et des pasteurs dans ces légendes. L'épi-
phanie du soleil nouveau annonçant le prochain
retour du printemps, n'est-elle pas leur véritable fête? Après maints tâtonnements, l'Eglise
en plaçant la fête de Noël au solstice d'hiver,
a senti qu'elle reliait ainsi les réjouissances
de cette grande solennité à de très lointaines
pratiques religieuses, rajeunissant à chaque
retour du soleil, en une solidarité universelle,

(1) *Luc*, II, 4-14.

l'allégresse des siècles passés. Aussi, lorsque
les chrétiens font éclater l'hymne de Noël,
nul ne peut l'écouter sans ressentir une péné-
trante émotion. Il semble que de vieux cris
païens s'élèvent des siècles morts ; c'est la voix
de nos frères, c'est aussi la voix de nos millions d'ancêtres qui s'éveillent pour grossir
leur chœur, Noël ! Noël ! un dieu nous est né,
le jeune soleil sourit en son berceau (1).

*Thème de la Conception virginale d'un dieu
soleil.* — Un autre thème légendaire fréquemment associé aux traditions relatives aux unions
du soleil, est la conservation de la virginité de
celle en laquelle il s'incarne.

Chez les Tartares de Précops, « la fable
fait naître d'une vierge leur premier roi Ulanus.
Quant aux Tartares orientaux, ils ajoutèrent
foi aux paroles de la mère de Cingis, leur
grand kan, fondateur de l'empire de Tartarie
et de la race impériale, qui affirmait l'avoir
conçu des rayons du soleil (2). »

Angué-Patraï, l'épouse de *Chkaï*, le dieu-
soleil des Finnois, a eu quatre fils et quatre
filles. Mais, quoique mère de cette progéniture,
Angué-Patiaï est toujours restée vierge (3).

---

(1) Sur l'origine de la fête de Noël. Cfr. P. SAINTYVES.
Les Saints successeurs des dieux, Paris, 1907, in-8°, p. 358.
(2) HUET. *Aneltanæ quæstiones*, p. 240.
(3) *Journal de la Société Finno-Ougrienne*, T. V, p. 109.

Prithâ, fille de Krishna, possédait un charme
capable de faire apparaître les dieux à sa voix.
Voulant un jour en essayer la puissance, elle
appela *Surya* (le soleil). Le dieu se présenta.
Prithâ effrayée, lui dit : « C'est uniquement
pour essayer ce charme que je t'ai appelé, ô
dieu ! Retourne-t'en et pardonne ma curiosité. »
Surya lui répondit : « Ma présence ne peut
être stérile, ô femme ! c'est pourquoi je désire
te rendre mère, de sorte toutefois que ta virginité n'en souffre pas. » Ayant ainsi parlé,
le dieu s'unit à Prithâ, puis remonta au ciel.
La jeune fille enfanta aussitôt un fils qui
resplendissait comme un nouveau soleil (1).

De telles fables sont d'ailleurs presque toujours organiquement liées à des pratiques locales qui leur sont parallèles. Dans les anciens
mariages hindous on faisait regarder le soleil
à la fiancée ou on l'exposait à ses rayons et
cette coutume s'appelait précisément le rite
de la conception (2).

---

(1) Abbé Roussel. *L'incarnation d'après le Bhâgavata-
Pourana* dans *Comptes Rendus du Congrès des Catholiques,*
1891, 2ᵉ sect., p. 100. — Au XVIᵉ siècle parut dans les
Indes le réformateur célèbre Caitanya qui se prétendit, à
son tour, une incarnation de Krishna. Cfr. L. Leblois.
Christianisme et Bouddhisme dans *Rev. de l'Hist. des Re-
lig.,* 1891, XXIII, 345.

(2) Frazer. *Golden Bough,* II, 238. Voir la note dans
laquelle il cite Monier-Williams. *Religion Life and Thought
in India.*

Une princesse de Tso-tché vit un jour l'essence du grand luminaire céleste qui s'arrêtait en son sein puis deux hommes célestes (Tien-Djin) qui descendaient de son côté, tenant chacun à la main une cassolette remplie d'encens. Aussitôt elle sentit en elle une douce commotion dont rien n'expliquait la cause. La princesse se trouvait enceinte de Wang-Ting (1).

Ce mode de fécondation ne saurait en effet ravir la virginité d'une femme (2); mais nous savons, d'ailleurs, que le thème de la conception virginale était classique chez les Chinois. Le Choue-ven (3) expliquant le caractère *Sing-Niu* qui est formé de *Niu : vierge* et de *Sing : enfanter*, s'exprime ainsi : « Les anciens Saints et les hommes divins étaient appelés les fils du ciel, parce que leurs mères concevaient par la puissance du *Tien* (ciel) et en avaient des enfants (4). »

Niu-Va, femme ou sœur de Fo-hi, est en-

(1) De Charencey. *Loc. cit.*, p. 209.
(2) D'après saint Augustin, saint Ephrem, Agobard et le Bréviaire des Maronites, la Vierge Marie aurait conçu par l'oreille.
(3) Le *Chou-Ven* est un dictionnaire où sont expliqués 540 caractères chinois et leurs dérivés. C'est un monument très précieux de l'antiquité; son auteur est Hiu-tching qui vivait vers le temps de la naissance du Christ, dit le P. Fouquet, ou au II⁰ siècle après J.-C., d'après d'autres.
(4) Le *Chou-Ven*, Racine 443, n° 1, cité par le P. de Prémare. *Vestiges des principaux dogmes chrétiens*, 1878, in-8°, p. 204.

core appelée Niu-Hoang : la souveraine des
vierges et Hoang-Mou, la souveraine-mère.
Niu-Va mérite ce double titre, car elle obtient
par ses prières d'être vierge et mère tout ensemble. Considérée comme une divinité, elle
préside aux mariages (1).

Bien plus, la virginité était respectée par la
sortie même de l'enfant. Les auteurs chinois
racontent que le grand Yu sortit par la poitrine de sa mère, Sié par le dos et Héou-tsi
par la voie ordinaire, mais qui demeura fer-
mée. D'où le Chi-King l'appelle Pi-Kong,
palais fermé (2).

Ces sortes de légendes ne furent point le
privilège des monarques asiatiques : deux sages célèbres en bénéficièrent, Lao-tsé et Ché-
Kia-Mou-ni. L'un et l'autre, en effet, naquirent d'une vierge : le premier sortit du sein
de sa mère par le côté gauche et le second par
le côté droit (3). Mais l'importance de ces deux

(1) P. DE PRÉMARE. Recherches sur les temps antérieurs
au Chou-King dans Collection des livres sacrés de l'Orient,
éd. du Panthéon, p. 34.

(2) P. DE PRÉMARE. Vestiges, p. 207. — Ce fut le cas
pour la Vierge Marie. Cfr. G. HERZOG. La sainte Vierge
dans l'Histoire, P. Nourry, 1908 gr. in-8°, La Virginité
in partu, p. 38-51.

(3) P. DE PRÉMARE. Vestiges, p. 207. Che-kia-Mou-ni est
la transcription chinoise du sanscrit Chakya ou Sakya un
des noms principaux de Bouddha Sur la légende chinoise
de Che-Kia-Mou-ni, voir ABBÉ BERTRAND. Dictionnaire des
Religions, I, 896-899.

personnages mérite que nous leur accordions
quelque attention. Leurs légendes se rattachent, d'ailleurs, toutes les deux, quoique plus
ou moins directement, à d'antiques légendes
solaires.

Lao-tsé est un personnage historique qui naquit en l'an 604 avant l'ère chrétienne (1). Ce
sage ne songeait point à établir une religion.
Toutefois, des adeptes de sa philosophie rat-
tachèrent à sa doctrine une sorte de culte qui
est devenu le Taoïsme. Ils propagèrent en
même temps des légendes qui rentrent tout à
fait dans le genre d'inventions qui caractéri-
sent le génie chinois.

Ko-hiuan, dans sa préface du Tao-te-
King (2), dit : La personne de Lao-tsé a pris
naissance par elle-même; il a existé avant le
grand Absolu et depuis que l'Absolu a causé

---

(1) Il n'est pas sans intérêt de rappeler ici quelques dates
de naissances sur lesquelles il subsiste d'ailleurs des incer-
titudes, mais qu'il convient de rapprocher de celle de ce philosophe. On fait naître le Bouddha Çakya-Mouni vers 622
avant notre ère; Zoorastre vers 650 avant notre ère et suivant quelques autres beaucoup plus tôt; Pythagore vers
608 ou 572 avant notre ère; Confucius en 551 av. J.-C.
Le fait que Lao-Tsé a été le contemporain de Confucius
est établi par le témoignage du Li-Ki (I, 24; II, 22, 24,
28) des Kia-Yu (art. 11, 24) du côté confucéiste; et par
Liéh-tsé, Tchouang-tsé et Ssé-ma-Tsien (biographes de
Lao-tsé) du côté taoïste : L. DE ROSNY. *Le Taoïsme*, Paris,
1892, in-8°, p. 29-30.
(2) Le *Tao-te-King* est l'œuvre de Lao-tsé.

la première origine des choses, il a traversé
toute la suite des productions et des annihila-
tions du Ciel et de la Terre, par suite un
nombre ineffable d'années...

Par la transformation, il a pris un corps et
est venu au monde dans la dix-septième année
de Yang-Kia; alors il commença de se montrer sur le chemin de la naissance, à viser à
la trace d'une nativité humaine. Des limites
du Tao éternel, de la grande clarté, il sortit
sous forme d'une semence pure du soleil et
se changea en une bulle de plusieurs couleurs
(d'après les uns jaune et bleue, d'après les autres teintée des cinq couleurs primitives) de la
grosseur d'une balle d'arbalète. Elle entra
dans la bouche de la Dame de Jaspe (la vierge
très précieuse yu-niu) pendant qu'elle dormait
dans la journée. Celle-ci l'avala, devint enceinte et demeura grosse pendant quatre-vingt-
un ans. Alors la Dame de Jaspe accoucha,
par son flanc gauche, d'un enfant qui, à sa
naissance eut la tête blanche et reçut le nom
honorifique de Lao-tsé (le vieillard-enfant) (1).

(1) ABBÉ BERTRAND. *Dict. des Religions*, Paris, 1850, in-
4°, III, 310-311, et DE CHARENCEY. *Le Folklore dans les
Deux-Mondes*, Paris, 1894, in-8°, p. 205-206. Selon d'autres
récits, la mère de Lao-tsé l'aurait conçu, toujours sans le
concours d'un père humain, mais en voyant tomber une
étoile. Cfr. STANISLAS JULIEN. *Lao-Tseu, Tao-té-King*, Paris, 1842, in-8°, p. XXX-XXXI.

Cette tradition tardive qui remonte au plus
tôt à la fin du quatrième siècle de notre ère,
est évidemment d'origine littéraire. Mais elle
appartient incontestablement au groupe des
naissances miraculeuses d'origine solaire si
nombreuses en Chine. Elle a dû subir, en particulier, l'influence de la légende de Bouddha
qu'il nous reste à rapporter.

Les auteurs orientaux, spécialement les auteurs chinois, placent sa naissance environ
1.000 ans avant J.-C.; quelques-uns la font
remonter beaucoup plus haut; d'autres la descendent jusqu'au cinquième siècle avant notre
ère (622).

Souddhodana, père adoptif du Bouddha,
était roi de Magaddha; il épousa Maya-Devi
qui, bien que vierge (1), conçut ce saint en-

(1) Il est assuré tout au moins qu'elle n'avait pas encore
eu d'enfants et la tradition mongole affirme qu'elle était
vierge. Saint Jérôme connaissait les bouddhistes sous le nom
de Samanéens et savait que le fondateur de leur religion
était né d'une vierge. Dans sa polémique contre Helvidius
au sujet de la virginité de Marie, il raisonne d'ailleurs
comme l'auteur du Lalita-Vistara. « Aucune autre femme,
dit ce livre, n'était digne de porter le premier des hommes. »
La tradition de la virginité de Maya-Devi a pu être connue
non seulement par saint Jérôme, mais des premières générations chrétiennes. Clément d'Alexandrie connaît les bouddhistes sous le nom de Brahmanes (Stromates, I, 15 et
III, 7. P. G.-L., T. VI, p. 404, 407, 411 et 581) et de
gymnosophistes des Indes (1, 15, P. G.-L., VI, 409). Dans
Chrysostome (Ad. Alexandr., XXXII) ils nomment le dieu
des bouddhistes par son nom de Bouddha et semblent avoir

fant par l'influence céleste. Mais sur le mode
précis de cette conception, les traditions dif-
fèrent. Les uns veulent qu'il ait pénétré dans
le sein de Maya-Devi sous l'aspect d'un rayon
à cinq couleurs (1), les autres sous la forme
d'un éléphant (2). Hâtons-nous d'ajouter que
cet éléphant mystique n'est qu'une animalisa-
tion du Soleil. Il suffit, pour s'en convaincre,
de se reporter au récit du Lalita-Vistara :

« Le temps froid étant passé, au mois·Vâi-
çâka (avril-mai) quand est revenu la constel-

eu quelques informations sur son compte. Saint Epiphane,
le père de l'histoire ecclésiastique, accuse Scythien d'avoir
importé de l'Inde, au II° siècle, des livres de magie à tendances manichéistes. Cfr : P. SAINTYVES. *Les Saints, successeurs des dieux* Paris, Nourry, 1907, in-8°, p. 239*d* Clément dans les *Recognitions* parle·également des Brahmanes,
IX, 20. *Eusèbe* fait allusion à tous ces dires dans sa *Pré-
paration Evangélique*, VI, 10 et VIII, 6.

(1) DE CHARENCEY. *Le Folklore dans les Deux-Mondes*,
Paris, 1894, in-8°, p. 183. Le dieu descend de la région des
dieux sous forme d'éléphant blanc; mais il pénètre sous
forme de rayons. D'après une autre légende encore, le
Bodisattva apparut, semblable à un nuage éclairé par la
lune et tenant un lotus à la main. SPENCE HARDY. *A Ma-
nual of Bouddhism*, p. 142. — Pour les Bouddhistes du
Népal, la mère de Bouddha s'appelle Maha-Maya ou Ma-
hamaï et elle devint enceinte quoique vierge par la vertu
des rayons du soleil. CREUTZER GUIGNAUT. *Les Religions de
l'Antiquité*, I, 285.

(2) BARTHÉLEMY SAINT HILAIRE. *Le Bouddha et sa reli-
gion*, Paris, 1866, in-12, p. 54; MARY. SUMMER. *Histoire du
Bouddha Sakya Mouni*, Paris,´1874, in-18, p. 18; SÉNART.
Essai sur la légende de Bouddha, Paris, 1875, p. 314.

lation Vicâkha, juste au moment du printemps,
la plus belle des saisons,, toute remplie des
feuilles des plus beaux arbres, toute émaillée
des fleurs les plus belles entre les plus belles,
quand il n'y a ni froid ni chaud, ni brouillard,
ni poussière, quand le sol de la terre est couvert d'un gazon vert, épais et doux, le Seigneur des trois mondes, révéré de l'univers,
après avoir bien examiné, juste au moment
marqué au quinzième jour de la lune alors en
son plein, lors de la conjonction de l'astérisme
Ponchya, le Bodhisattva, étant descendu de
l'excellent séjour du Torchita, avant le souvenir et la science, entra dans le sein de sa mère;
par le flanc droit de sa mère livrée au jeûne,
sous la figure d'un petit *éléphant blanc* à six
défenses à la *tête couleur de cochenille*, ayant
les dents comme une *ligne d'or*. Et y étant
entré, il s'appuya à droite et ne s'appuya jamais à gauche. Maya-Devi, doucement endormie sur sa couche, vit en songe ceci :

Un éléphant blanc comme la neige et l'argent, à la tête bien rouge, est entré dans mon
sein; le plus beau des éléphants à la démarche
gracieuse, aux jointures du corps fermes
comme le diamant. Et jamais par moi pareil
bonheur n'a été vu, entendu ni goûté; de sorte
que, dans un état de plaisir pour le corps, de

bien-être pour l'esprit, j'ai été complètement
absorbée par la contemplation (1) ».

Plus loin, le Bodhisatva dans le sein de sa
mère est comparé à « une grande masse de
feu » à « l'or pur incrusté de lapis-lazuli » à
« une grande lumière illuminant toute la demeure (2) ».

Des critiques, comme Kern, ont soutenu
que le Bouddha n'avait jamais existé et n'était
qu'un pur mythe solaire (3). Sans aller aussi
loin, M. Sénart tient pour certain et, pensons-
nous, avec raison, que les rares traits historiques relatifs au Bouddha qui nous ont été
conservés, sont noyés dans des légendes solaires formant le cadre de son apothéose per-
sonnelle (4). Le récit de la naissance de Gautama fait évidemment partie de ce cadre et il

(1) *Lalita Vistara* trad. Foucaux, Paris, Leroux, in-4°,
p. 54-56. — Le caractère solaire de cette légende n'est pas
moins marquée dans deux autres récits Cfr : *Rgya tch'er
rol pa*, trad. Ph. Ed. Foucaux, Paris, 1868, p. 54-73 et
SAMUEL BÉAL. *The Romantic Legend of Satya Buddha*, p.
35-48.

(2) *Lalita Vistara*, trad. Foucaux, p. 65.

(3) Sur H. KERN. *Geschiedenis van het Buddhisme in
Indie* dans *Revue de l'Histoire des Religions*, V, 122 et
227; XI, 176. On peut consulter la traduction française de
G. HUET. Kern pense qu'il est impossible de ramener plus
bas qu'au III° siècle avant J.-C. la formation de la légende
de Bouddha et même qu'il faut la faire remonter beaucoup
plus haut.

(4) E. SÉNART. *Essai sur la légende de Bouddha*, Paris,
1882.

est impossible, par suite, de nous étonner que notre héros soit né d'une conception virginale, sachant que c'est chose accoutumée lorsqu'il s'agit du soleil.

L'histoire de Bouddha se retrouve au Thibet ; les noms seuls sont changés : Boddhisatva s'appelle *Cianciul*, Maya-Devi, la *Lamoghiuprul*, Souddhodana, le roi *Sioan*. « Les devins avaient prédit qu'elle enfanterait un fils de la plus grande beauté et de la sainteté la plus éminente ; ils lui donnèrent à elle-même le nom de déesse Lhamoghiuprul, à cause de l'excellence de sa vertu et de sa beauté... (Durant le temps qu'elle porta Cianciul) ses entrailles, devenues pures et transparentes, laissaient voir à tous les yeux le petit enfant qui s'y trouvait enfermé, et dont le corps comme l'âme, brillait d'un merveileux éclat jusqu'à ce qu'il sortit par le côté droit de sa chaste mère (*intacta*) sans laisser trace de son passage (1).

Ce thème classique frappa vivement les pre-

(1) PAULIN DE SAINT BARTHÉLEMI. *Alphabet Thibétain*, p. 32. — ABBÉ BERTRAND. *Dict. des Religions*, V Lha-Mo-Gyon-Hphroul, T. III, col. 342. La virginité *in partu* fut attribuée à Marie dans le courant du II⁰ siècle, sous l'influence des idées docètes d'une part et celle des traditions profanes que colportaient les païens récemment convertis. G. HERZOG. *La sainte Vierge dans l'Histoire*, Paris, 1908, gr. in8°, p. 39-41.

miers missionnaires qui entendirent de telles histoires. Le Père Giorgi, fameux orientaliste, de l'ordre des Augustins, écrivait au XVIIIᵉ siècle :

« Lorsque j'ai vu qu'un peuple possédait déjà un dieu descendu du ciel, né d'une vierge royale, mort pour racheter le genre humain, mon âme s'est troublée, je suis resté confondu. Il ajoute qu'aux sollicitations des missionnaires, les Thibétains répondent : Pourquoi embrasserions-nous le christianisme ? Nous avons des croyances identiques aux vôtres et qui leur sont bien antérieures (1) ».

Nous ne pensons point que les légendes que nous avons passées en revue soient toutes de simples mythes solaires et nous n'avons pas l'intention de reprendre la thèse de Dupuis qui affirmait que Jésus, de même que Zoroastre ou Bouddha n'ont jamais existé. Je crois à la réalité historique de Jésus. Je crois même à celle de Zoroastre et de Bouddha. Mais autour d'un noyau historique extrêmement petit, car on pourrait écrire leur vie en quelques lignes, des légendes se sont groupées et l'on ne peut méconnaître, dans les cadres d'apothéoses dont elles les entourent, de vieux thèmes mythiques.

(1) A. GIORGII. *Alphabetum Thibetanum*, Roma, 1742, Præfatio, p. XIX.

N'est-ce pas une hardiesse trop grande que d'appliquer ce raisonnement aux récits évangéliques? Je ne le crois point. Les analogies sont trop frappantes et trop profondes pour que le raisonnement qui vaut pour les uns ne vaille pas pour les autres.

Au-dessous et à côté des traditions ecclésiastiques, il y a eu, dès les premiers siècles et surtout aux époques d'abondantes conversions de païens, une autre tradition, la tradition populaire. Bien que séparées par leur nature et leurs tendances, les deux traditions réagissent l'une sur l'autre. Les docteurs rejettent d'abord avec mépris les produits de l'imagination populaire et encore toute païenne. Peu à peu cependant, ils finissent par les accepter, et alors l'histoire, ou ce que l'on considère comme tel, se fond et s'harmonise à la fois, avec la légende et avec le culte, s'appuyant ainsi sur le tout de la religion et l'idéalisant à son tour d'une merveilleuse auréole.

C'est ainsi que la piété populaire amoureuse de récits sentimentaux et miraculeux, a transporté dans l'histoire du Christ la floraison mythique qui germa jadis sur les vieux rites naturalistes de fécondité et s'épanouit pleinement dans le culte du glorieux soleil.

VIII

LES THÉOGAMIES ANTHROPOMORPHIQUES

Le culte des morts et la cohabitation
avec les défunts
Les dieux anthropomorphiques
et les incubes divins

———————

« Il n'y a pas de dogme chrétien qui n'ait sa
racine dans une tradition aussi ancienne que le
genre humain »
J. DE MAISTRE *Soirées de Saint-Pétersbourg*
II, 374.

Les cultes naturalistes, dans leur évolution
progressive, ne doivent pas nous faire oublier
le culte des morts dont le rôle immense, pour
avoir commencé aux origines mêmes de la civilisation, ne s'en fait pas moins sentir à ses
formes dernières et, jusqu'à présent, les plus
parfaites.

Le culte des morts naquit principalement
de l'interprétation primitive des rêves où appa-
raissaient des amis ou des parents défunts.
Ces fantômes des songes (sans doute aussi quelques apparitions hallucinatoires) furent les

premiers témoins de la survie. On crut en eux
et comme leur existence nocturne et mysté-
rieuse les auréolait d'effroi, on les entoura très
vite d'un culte destiné à les flatter, à les
choyer, à gagner leur amitié et à détourner
leur courroux.

Leur culte se rencontre partout avec celui
de la nature et, dans nombre de cas, leur fu-
sion vint hâter la transformation de l'ani-
misme primitif en un spiritisme polydémo-
niaque. Au lieu d'admettre, comme autrefois,
que la pierre, la source, la plante, vivent d'une
vie propre, on imagina que celui des objets
physiques où l'on supposait l'existence de
pouvoirs spéciaux, était habité par les esprits
des morts (1).

Ne savait-on pas, en effet, que les morts
continuaient de vivre parmi les vivants, qu'ils
mangeaient, buvaient comme pendant leur vie
sensible et que parfois même ils se reprodui-
saient. De là, à penser que c'étaient eux qui

---

(1) On pourrait en citer de nombreux exemples. Il suffira
de renvoyer à l'un des plus caractéristiques : « Tout en er-
rant dans le pays aujourd'hui occupé par les Urabunna,
leurs ancêtres déposèrent en divers endroits appelés *paltinta*,
où aussitôt se formèrent en guise de témoins des accidents
naturels (arbres, rochers, sources), de petits esprits indi-
viduels appelés *mai-aurli* ou enfants-esprits, qui, par la
suite, devinrent des hommes et des femmes desquels descendirent les Urabunnas actuels. » A. VAN GENNEP. *Mythes et
Légendes d'Australie*, Paris, 1905, in-8°, p. XLVI.

donnaient aux pierres et aux sources fécondantes leur antique vertu, il n'y avait qu'un
pas.

« Nous connaissons, au Guatémala, la fameuse histoire de la vierge *Xquiq*, fille du
prince Cuchumaquiq. Le héros mythique des
Guatémaliens Hunhun-Ahpu, ayant été mis à
mort par ordre des chefs de l'état de Xibalba,
on lui coupa la tête et on la plaça dans les
branches d'un calebassier. Aussitôt l'arbre se
couvre de fruits, bien qu'il n'en eut pas un
seul auparavant. Bientôt le chef du guerrier
guatémalien se transforme lui-même en calebasse. De là, ajoute l'auteur américain, le
nom de « Tête de Hunahpu » que porte ce fruit
chez les Quichés.

Les princes Xibalbaïdes, témoin d'un tel
prodige, défendent d'approcher de l'arbre merveilleux. Cependant la jeune *Xquiq*, entraînée
par la curiosité, désobéit, se disant à elle-
même avec une indiscrétion digne de notre
mère Ève : « Les fruits de cet arbre doivent
être bien savoureux. »

Etant partie seule, elle arriva au pied du calebassier, lequel s'élevait lui-même au milieu
du cendrier. La vue des fruits lui arrache des
cris d'admiration et *elle* ajoute : « En mourrai-
je donc et sera-ce ma ruine si j'en cueille
un ? »

12

Alors continue le narrateur indigène, la tête de mort qui était au milieu de l'arbre parla :
— Est-ce donc que tu en désires ? Les boules rondes qui se trouvent entre les branches de l'arbre, ce sont uniquement des têtes de mort. Est-ce que tu en veux encore ? — ajouta-t-elle.

— Oui —, répondit *Xquiq*, en étendant la main vers le crâne d'Hunhun-Ahpu. Alors ce dernier lança avec effort un crachat dans la main de la jeune fille. Celle-ci regarda aussitôt le creux de sa main, mais la salive du mort avait déjà disparu.

« Cette salive et cette bave, c'est ma postérité que je viens de te donner, ajouta le crâne. Voilà que ma tête cessera de parler, car ce n'est qu'une tête de mort qui déjà n'a plus de chair ».

En effet, *Xquiq* se trouvait enceinte. Au bout de six mois, son père s'apercevant de son état, se mit en devoir de l'interroger. « Il n'y a pas d'homme dont je connaisse la face, ô mon père, répondit-elle. « En vérité, tu n'es qu'une fornicatrice », s'écria Cuchumaquiq, et il ordonna de lui arracher le cœur ainsi qu'on le faisait pour les victimes sacrifiées aux dieux.

Xquiq parvint à exciter la compassion des exécuteurs... et se retira chez la mère de Hunhun-Ahpu, au pays de Guatémala. C'est là

qu'elle met au monde deux jumeaux destinés
à venger leur père de la cruauté du prince
Xibalba (1). Cette légende se rattache probablement à un culte totémique du calebassier,
mais anthropomorphisé sous l'influence du
culte des morts.

Le *Grihya-Sûtra* de Gobhila donne des indications minutieuses au sujet des sacrifices
que pratiquaient les anciens peuples de l'Inde.
Dans la cérémonie de l'Anvashtakya, pour obtenir la propitiation des esprits des ancêtres,
on leur offrait trois Pindas ou trois morceaux
d'un pâté fait de riz et de viande de vache mê-
lés au suc d'une certaine plante. Après l'offrande, si la femme du sacrificateur désirait
un fils, elle mangeait le morceau du milieu
spécialement dédié au grand-père du mari et
en ayant soin de prononcer en même temps ce
vers du Mantra-Brâhmana : « Donnez un fruit
à mes entrailles, ô Pères! » Or, on ne saurait
nier que le riz et la vache eussent été des totems dans l'Inde ancienne.

Dans les îles Watabela, Aaru et l'archipel
Sula, les femmes stériles et leurs maris se ren-

(1) H. DE CHARENCEY. *Le Folklore dans les Deux-Mondes*,
Paris, 1894, in-8°, p. 243-245, d'après BRASSEUR DE BOUR-
BOURG, *Popol-Vulh*, 2° partie, ch. III, p. 91 et suiv. Har-
tland a rapproché avec raison de cette légende un conte an-
namite emprunté à LANDES. *Contes et Légendes annamites*.
Saigon, 1886, in-8°, p. 63.

dent à la tombe de leurs ancêtres. Ils portent
des offrandes qui se composent d'eau et d'une
chèvre ou d'un cochon. L'homme prie pour
obtenir un remède à ce mal et promet, s'il
devient père, de sacrifier l'animal qu'il présente ou de le donner à manger au peuple.
Le remède que devront prendre à la fois le
mari et la femme leur est indiqué peu après
dans un rêve. Avant de partir, ils se lavent
tous les deux avec l'eau qu'ils ont apportée et
qui a été consacrée par un séjour sur la sépulture des ancêtres, mangent ensemble un peu
de nourriture et laissent le reste sur la tombe.
Puis ils reconduisent à la maison la chèvre ou
le cochon et si la femme devient enceinte, ils
le sacrifient selon la promesse que le mari en a
faite. Ce mélange de sacrifices d'animaux et
de supplications des ancêtres est encore tout
empreint de totémisme (1).

On pourrait rappeler ici une foule de faits
analogues rencontrés chez les Australiens (2).
J'aime mieux me rapprocher de l'Afrique.

(1) HARTLAND. *The Legend of Perseus*, I, 169. — A Sa-
ragosse, les femmes stériles venaient au couvent de Saint-
Antoine, entraient dans la chapelle où était le tombeau du saint, s'agenouillaient, récitaient des prières, faisaient trois fois le tour du tombeau, se couchaient dessus
et se retiraient. P. LACROIX. *Curiosités Théologiques*, Paris, 1861, in-12, p. 114.

(2) B. SPENCER et GILLEN dans *Année Sociologique*, 1898-
99, p. 205 et suiv. et les références déjà données à propos
du totémisme végétal.

« Les Malgaches défunts reviennent consoler leurs épouses fidèles et ne les laissent
veuves que de nom. Si elles enfantent dans
leur veuvage, serait-ce douze mois après la
mort de leur mari, la loi fondée sur la foi en
ces apparitions singulières, admet l'enfant au
partage de la fortune du mort ; bien plus, cet
enfant peut être privilégié et on pourra le choisir pour chef de famille au détriment des frères
nés du vivant de leur père. Les apparitions
de ce genre sont aux yeux des Malgaches des
évènements heureux. Ils aiment à se 'es procurer et ils ont des secrets pour cela (1) ».

Il est bien regrettable que le P. de La Vaissière ne nous ait pas livré leurs secrets. Nous
aurions su si ces pratiques ne se rattachaient
point à d'anciens cultes totémiques d'origine
végétale (2).

(1) De La Vaissière S. J. *Vingt ans à Madagascar*. Paris, 1885, in-8°, p. 225-226. Il y a des cas nombreux où le
mort fécondateur n'agit pas dans la plénitude de sa virilité.
L'attouchement d'une partie de son cadavre, la manducation
du cœur, l'absorption de ses cendres ou d'une goutte de son
sang dans une boisson suffit à procurer les enfants désirés.
Cfr. Hartland. *The Legend of Perseus*, London, 1894, I,
p. 87, 94, 122, 144-145.
(2) Il n'est pas douteux que, parmi les récits ou les
contes où on nous rapporte que des femmes stériles ont
mangé des herbes ou des fleurs cueillies sur la tombe des
ancêtres ou parfois des fils morts, d'aucunes se rattachent
à un double culte des morts et des plantes. Cfr. Les cas
cités par Ploss. *Das Weib in der Natur und Volkerkunde*,

L'Egypte va nous montrer comment, dans ses temples et dans ses légendes, l'ancien culte totémique des animaux se transforma peu à peu sous l'influence anthropomorphique du culte des morts et comment, du même coup, et sous la même influence, se compliquèrent les rites employés contre la stérilité.

Un conte dont le manuscrit remonte à la douzième dynastie (1), mais dont la fable n'est guère postérieure à l'époque des grandes pyramides, mentionne déjà une théogamie : les trois premiers rois de la cinquième dynastie memphite : Ouserhaf, Sakourî et Kakiou, naquirent le même jour, de la dame Roidît didît, femme de Raousir, prêtre de Râ. Le dieu était venu trouver la dame et après l'avoir rendue enceinte il lui avait promis « que ses fils rempliraient la fonction bienfaisante de roi dans la terre entière (2) ».

M. Maspéro incline à croire que les théogamies égyptiennes ont été imaginées par les prêtres, pour la légitimation des Pharaons.

I, 439 et HARTLAND. *The Legend of Perseus*, London, 1894, p. 95, qui rapporte une curieuse ballade bulgare d'après Mango.

(1) C'est le *Conte de Khéops et des Magiciens*, publié par ERMAN. *Die Marchen des Papyrus Westcar*, Berlin, 1890, in-4°, pl. IX-XII et p. 55-71; Cfr. MASPÉRO. *Les Contes populaires de l'Egypte Antique*, 3 éd., in-8°, p. 21-43.

(2) MASPÉRO. *Les Contes*, p. 35.

Peu importait, en effet, que leur père et leur
mère ne fussent point de la race des dieux
s'ils étaient les fils immédiats du soleil divin,
de Râ, l'éternel procréateur (1). L'éminent
égyptologue appuie son hypothèse, en obser-
vant que, dans les trois cas classiques de Hât-
shop-sîthou, d'Amenophis III et de Césarion,
la théogamie fut un moyen nécessaire pour
leur assurer une descendance vraiment divine (2).

Mais on a des raisons de croire que la théogamie était de tradition pour *tous* les Pharaons : Horemheb, Ramsès II, Ramsès III
revendiquent également cette origine divine (3).
D'autres souverains sont accouchés ou allaités
par des dieux, et ceci présuppose encore la
théogamie (4). Une formule d'un usage très
général, à savoir que le Pharaon gouverne et
règne dès l'œuf, c'est-à-dire dès avant sa naissance ne se comprend point sans la tradition de
la théogamie (5). Enfin l'apparition du titre de
fils du Soleil semble contemporaine de l'épo-

(1) MASPERO. *Comment Alexandre devint Dieu en Egypte*
dans *Annuaire pour 1897 de l'Ecole des Hautes Etudes*,
Paris, 1896, in-8°, p. 16-20 et *Hist. Anc. de l'Orient Classique*, I, 258-259; et II, 77-78.
(2) MASPERO. *Comment Alexandre...*, p. 20-22.
(3) A. MORET. *Du Caractère religieux de la royauté pha-
raonique*, Paris, 1902, in-8°, p. 59 et suiv.
(4) A. MORET. *Loc. cit.*, p. 62-65.
(5) A. MORET. *Loc. cit.*, p. 65

que à laquelle nous reporte le conte que nous citions plus haut (1).

Quoi qu'il en soit de la valeur respective de ces deux hypothèses, on admet ordinairement que la théogamie, c'est-à-dire l'union de Râ ou d'Amon-Râ avec la reine-mère, est une invention sacerdotale et probablement d'origine thébaine (2).

Mais ne peut-on essayer de préciser la genèse de cette idée singulière? Un texte relatif à la naissance de Ramsès II va nous fournir une première indication. Le dieu père parle ainsi à son divin fils :

« C'est moi, ton père, je t'ai engendré dans tous tes membres divins; après m'être transformé en bélier de Mendès, j'ai possédé ton Auguste mère. Car j'avais reconnu que c'était toi qui devait être conçu en mon esprit, pour la gloire de ma personne, je t'ai enfanté pour briller comme Râ, exalté par devant les dieux, ô roi Ramsès (3) ».

Un tableau provenant du Ramesseum représente précisément l'union d'Amon et de la mère de Pharaon. Or, le dieu y est montré

(1) A. MORET. Loc. cit., p. 67.
(2) E. NAVILLE. Religion des anciens Égyptiens, Paris, 1907, in-12, p. 75.
(3) E. NAVILLE. Trans. S. B. A., VII, p. 122 et texte lignes 3-8; cfr. Deir El Bahari, II, pl. XLVI-LV.

sous forme humaine comme dans les théogamies de Deir El Bahari et de Louqsor (1),
tandis que le texte précité pris au sens stric-
tement littéral, ferait songer à quelque théogamie zoomorphique.

Il faut donc voir dans ces récits d'incubats
divins, soit d'anciennes traditions d'unions
animales anthropomorphisées, soit des récits
découlant des rites de fécondité pratiqués en
l'honneur de dieux anthropomorphiques se
souvenant encore d'avoir été d'abord des totems animaux.

La dernière hypothèse me semble de beaucoup la plus probable. Il est, d'ailleurs, assez
facile d'établir que les prêtres contribuèrent
à faire disparaître le souvenir des anciennes
unions animales, dans le but de répandre la
croyance en des théogamies à forme humaine
où ils ne furent pas sans jouer un rôle.

Tout le monde connaît le récit de Flavius
Josèphe, au sujet d'un certain Mundus qui,
ayant vu ses propositions déshonnêtes repous-
sées par une noble et chaste dame, se con-
certa avec les prêtres d'Isis. Je n'en rappor-
terai que l'essentiel. « Dans l'espoir de la récompense promise par Mundus, le plus âgé

(1) A. MORET. *Loc. cit.*, p. 60.

des prêtres alla aussitôt dire à Pauline que le
dieu Anubis avait de la passion pour elle, et
qu'il lui commandait de l'aller trouver. Cette
dame s'en tint si honorée qu'elle s'en vanta à
ses amies et le dit même à son mari qui, con-
naissant son extrême chasteté, y consentit volontiers. Ainsi, elle s'en alla au temple et lorsqu'après avoir soupé, le temps de s'aller coucher fut venu, ce prêtre l'enferma dans une
chambre où il n'y avait point de lumière et
où Mundus qu'elle croyait être le dieu Anubis
était caché. Il passa toute la nuit avec elle et le
lendemain matin, avant que les détestables
prêtres dont la méchanceté l'avaient fait tòm-
ber dans ce piège furent levés, elle alla retrouver son mari; lui dit ce qui s'était passé et
continua de s'en glorifier avec ses amies. La
chose leur parut si incroyable qu'elles avaient
peine d'y ajouter foi, et ne pouvaient, d'autre
part suspecter la vertu de Pauline. Trois jours
après, Mundus la rencontra par hasard et lui
dit : « En vérité, je vous ai bien de l'obliga-
tion d'avoir refusé les deux cent mille drach-
mes que je voulais vous donner et d'avoir fait
néanmoins ce que je désirais. Car que m'importe que vous ayez méprisé Mundus, puisque
j'ai obtenu sous le nom d'Anubis tout ce que
je pouvais souhaiter! et en achevant ces pa-

rôles il s'en alla. Pauline connut alors l'horrible tromperie qui lui avait été faite (1). »

Cette histoire est-elle recevable ou doit-on la considérer comme une pure calomnie de l'historien juif ? Je ne vois point de raison décisive qui permette d'en rejeter le témoignage ; d'autant que les temples égyptiens n'ignoraient point la pratique des prostitutions sacrées : « Les prêtres de Thèbes, écrit Strabon, honoraient Zeus Ammon, leur divinité principale, en lui consacrant une de ces jeunes vierges que les Grecques appellent Pallades, vierges chez qui la plus exquise beauté s'allie à la naissance la plus illustre. Une fois au service du dieu, cette jeune fille est libre de prostituer sa beauté et de s'abandonner à qui elle veut, jusqu'à sa première purgation menstruelle ; passé cette époque on la marie, non sans avoir, au préalable, pris le deuil en son honneur à l'expiration de son temps de prostitution (2). »

(1) FLAVIUS JOSÈPHE. *Histoire des Juifs* Liv. XVIII, ch. IV, trad. Arnaud d'Andilly, T. I, p. 747-748.
(2) *Géographie*. L. XVII, § 45. — JUVÉNAL confirme son témoignage (*Satire VI*, 489 et IX, 22-25); *Hérodote* lui-même, qui déclare quelque part (II, 64) que les Grecs et les Egyptiens ne connurent pas les prostitutions sacrées, avoue qu'elles se pratiquaient à Thèbes de même qu'à Babylone et à Patare. — Nous savons d'autre part qu'Erix (DIOD DE SIC., IV, 83, trad. Hœfer, I, 356) et Corinthe (STRABON, lib. VIII, ch. VI, § 20, trad. Tardieu, II, 178) possédaient de nombreuses courtisanes sacrées (Hiérodules) dans leurs temples de Vénus.

Cette prostitution sacrée qui, nous l'apprend Strabon, avait pour but d'honorer Ammon, le bélier divin, profitait sans doute au dieu d'abord ou à quelque prêtre chargé de le substituer. Quoi qu'il en soit de ce point, il est certain qu'à Thèbes les prostitutions sacrées en l'honneur du dieu s'y accompagnaient de sacrifices singuliers.

« Les Egyptiens, dit Hérodote, donne le nom d'Ammon à Zeus. Les Thébains donc ne sacrifient pas de béliers et à cause de cette tradition, il les considèrent comme sacrés; une seule fois par an, le jour de la fête de Zeus, ils en immolent un; ils l'écorchent et ils revêtent de sa toison la statue du dieu. Cette

La Bible elle-même nous dit en quelle faveur étaient les prostitutions sacrées même chez nombre d'Israélites. *Gen.*, XXXVIII, 21, 22. — *Deut.*, XXIII, 18 — *Nomb.*, XXV, 1 et suiv. — I, *Rois*, XIV, 24; XV, 12; XXII, 47. — II, *Rois*, XXIII, 7. — *Osée*, IV, 14; IX, 10. — *Amos*, II, 7. — *Ezech*, XX, 29. — *Job*, XXXVI, 14. — RENAN, *Mission de Phénicie*, p. 518, 585, 647-653, 662-663. — Les prostitutions de Thèbes avaient leur exact parallèle dans l'Inde. Lorsqu'une femme était devenue enceinte par la grâce de Bod (la déesse de la fécondité) et mettait au monde une fille, cette fille était élevée dans le temple de la déesse jusqu'à ce qu'elle fut nubile. Alors seulement, elle pouvait rentrer dans le monde, mais auparavant elle était obligée de se prostituer à la porte du temple et de mettre ses attraits à l'enchère. L'argent qu'elle retirait de ce commerce ne lui appartenait pas; il lui était expressément enjoint de le remettre entre les mains du prêtre de Bod. — V° *Bod* dans ABBÉ BERTRAND. *Dict. des Religions*, P. Migne, in-4°, T. I, col. 528-29.

cérémonie accomplie, tous les prêtres du temple se portent à eux-mêmes des coups à cause de la mort du bélier ; enfin ils l'inhument dans une chambre sacrée (1). »

Il est évident que l'explication fournie par Hérodote, à savoir que les prêtres du temple se donnent des coups à cause de la mort du bélier, a été imaginée postérieurement. Ils devaient, à l'origine, se frapper afin de se rendre semblables au bélier, et acquérir une virilité toute divine. Cette hypothèse tire sa preuve des Lupercales romaines. L'analogie est, en effet, éclatante : Dans la course des Lupercales qui suivait le sacrifice des chèvres par les Luperques, ces prêtres couraient nus, vêtus simplement des peaux des chèvres immolées (2). Avec des lanières découpées elles aussi dans la peau des victimes, ils frappaient en courant tous ceux qui s'offraient à eux, particulièrement les femmes qui leur présentaient les mains, le dos ; on croyait que ces coups devaient les rendre mères (3).

« Jeune mariée, dit Ovide, qu'attends-tu ? Ce n'est pas par des herbes au pouvoir surnaturel, ni par la prière et les formules ma-

(1) HÉRODOTE. *Hist.* II, 42.
(2) *Tubero* ap. Dion, I, 80; *Just.*, 43, 1, 7; *Fest.*, Ep. p. 59; *Nicol Damase*, 21.
(3) OVIDE, II, 379, 425, 445; JUV., II, 142.

13

giques que tu enfanteras. Reçois tranquillement les coups de la main qui féconde et bientôt ton beau-père sera grand-père ». (1)

L'Egypte, la Grèce et Rome semblent toutes avoir été persuadées que la peau du bélier, de la brebis, du bouc ou de la chèvre, sacrifiée à fin de fécondité, pouvait, par son contact, produire ou favoriser la grossesse. La prêtresse d'Athènes portait la peau de la chèvre sacrée chez les femmes nouvellement mariées (2). A Rome, les fiancés s'asseyaient sur la peau de la brebis sacrifiée à l'occasion du mariage (3).

Le texte de Strabon ne s'éclaire-t-il pas maintenant d'une lumière toute nouvelle ? N'a-t-on pas le droit de penser que la flagellation des prêtres de Thèbes avec les lanières de la peau du bélier sacrifié avait pour but de les préparer à remplacer le dieu en ses œuvres théogamiques ?

Mendès, pas plus que Thèbes, n'ignora les prostitutions sacrées. Mais les témoignages qui nous en restent se trouvent plus imprégnés de totémisme. « Les habitants du nôme de Mendès, dit Hérodote, comptent Pan parmi les huit dieux, qu'ils disent les plus anciens

(1) Ovide. Fastes, II, 425-428.
(2) Suidas, V° αιγις
(3) Servius sur Enéide, IV, 374; Festus, S. V. Impelle.

des douzes. Or, les peintres et les sculpteurs
dessinent et sculptent les images de Pan,
comme le font les Grecs, avec un front de
chèvre et des jambes de bouc, non qu'ils se
l'imaginent tel, car ils le croient semblables
aux autres divinités (Il me serait possible de
dire pourquoi ils le représentent sous cette
forme) (1). Aussi ceux de Mendès ont-ils en
vénération toutes les races de chèvres et plus
encore les boucs que les femelles; ils hono-
rent surtout ceux qui n'ont point de cornes,
et particulièrement l'un d'eux; quand celui-
là meurt un grand deuil est prescrit dans le
nôme entier. En Egyptien, Mendès veut dire
à la fois bouc et Pan. De mon temps, ce nôme
fut témoin d'un prodige : un bouc s'accoupla
publiquement à une femme; le fait fut connu
de *tous les hommes* (2) ».

Nul n'est obligé d'ajouter foi à ce dernier
trait; mais il paraît certain que le temple de
Mendès renfermait un grand nombre de femmes. Plutarque s'extasie par la bouche de
Gryllus sur « ce bouc de Mendès qui, renfermé
avec un grand nombre de femmes des

---

(1) Diodore de Sicile a été moins *réservé*. « Le bouc, écrit-
il, à cause de son phallus, mérita chez les Egyptiens d'être
placé au rang des dieux. » DIODORE DE SICILE, I, 88.
(2) HÉRODOTE, II, 46.

plus belles, n'éprouve aucun désir et se sent
bien plus d'audace pour ses chèvres (1) ».

Qu'étaient ces femmes dédaignées par le
bouc divin, malgré leur beauté? Faut-il y voir
des prostituées semblables à celles de Thèbes,
faisant un stage afin d'assurer ainsi la fécondité d'un prochain mariage? Faut-il y voir
simplement des suppliantes qui demandaient
au dieu la cessation de leur stérilité? (2). Peut-
être étaient-elles des unes et des autres; mais
toutes, par le fait de leur présence dans ce lieu
sacré, étaient des aspirantes à l'union théoga-
mique.

Les prêtres de Mendès, comme les prêtres
de Thèbes, durent sans doute se permettre plus
d'une fois de remplir l'office réservé au dieu.
Mais le plus souvent ils se contentaient sans
doute de présider aux rites d'envoûtement d'a-
mour et d'évocations propres à faire appa-

(1) PLUTARQUE. *Que les bêtes ont l'usage de la raison,* 5,
dans *Œuvres morales*, trad. Bétolaud, T. IV, p. 300. — Le
témoignage de Plutarque est confirmé par STRABON, liv.
XVII et par CLÉMENT D'ALEXANDRIE ' dans ses *Protrept.*

(2) Les prostitutions rituelles ont, en général, pour but
de « désacraliser » celles qui se prostituent. A. VAN GENNEP.
Mythes et Légendes d'Australie, Paris, 1905, in-8°, p. 128.
Il a semblé que ce ne pouvait être fait que par une cérémonie sacrée, une première union divine ou sacerdotale,
ou même avec un simple dévôt; pourvu qu'il fut conscient de
faire œuvre religieuse et remplît par suite les règles liturgique de semblables unions.

raître le dieu dont on demandait le secours
viril.

Olympias, épouse de Philippe, ayant entendu parler de la science divinatoire de Nectanébo, ancien Pharaon détrôné et réfugié en
quelque lieu secret voulut le consulter au sujet
de sa postérité. Celui-ci l'ayant vue, en devint
épris et lui déclara que « le destin lui réser-
vait l'honneur de s'unir à un dieu pour enfanter un fils. « Ce dieu, ajouta-t-il, est Amon
« Lybien, à la chevelure et à la barbe d'or, aux
« cornes d'or. Prépare-toi donc à le recevoir, ô
« reine, car aujourd'hui même, *tu verras en*
« *songe* ce dieu venir vers toi ». *Il lui envoie*
en effet, par les moyens magiques dont il
disposait, un songe qui lui montra le dieu
dans ses bras, lui annonçant la naissance d'un
fils plus qu'humain. La reine convaincue par
cette apparition vaine, consent à se prêter à
ces noces divines ; mais elle demanda à quels
signes elle connaîtrait la présence de l'amant
céleste. « Quand tu verras, lui dit-il, un ser-
« pent entrer dans ta chambre et arriver ram-
« pant vers toi, fais sortir tous les assistants,
« puis mets-toi dans ta couche royale et vois
« si tu reconnais le visage que tu as aperçu
« dans ton rêve ». *Le lendemain,* il se procura
une toison de bélier très fine avec des cornes
dorées, un sceptre d'ébène, un vêtement blanc,

et par sa science, il se donna l'apparence d'un serpent énorme ; le soir venu, il pénétra dans la chambre à coucher où Olympias l'attendait voilée, étendue sur son lit. Quand elle l'aperçut, à la lueur des lampes, elle ne le craignit point, mais elle l'observa curieusement du coin de l'œil. L'apparition posa son sceptre, prit place, consomma le mariage, puis posant la main sur le sein de la reine : « Réjouis-toi, « femme, car tu as conçu de moi un mâle qui « vengera tes injures et qui sera un roi maître « de l'univers. (1) »

Il revint la nuit suivante et chaque fois qu'elle le souhaita. Le jour de l'accouchement, le magicien était auprès de la reine ; inspectant le ciel. Il l'obligea deux fois de suite à retarder la délivrance, jusqu'à ce qu'il eût noté un moment où les conjonctions des astres assureraient à l'enfant la possession du monde entier (2).

Ce conte de Pseudo-Callisthène n'aurait pas grand intérêt s'il n'ajoutait un nouveau témoignage à ceux qui précèdent. Les prêtres d'Ammon ou les prêtres du bélier symbolisés dans

(1) PSEUDO-CALLESSTHÈNE, VI-XXII, éd. Muller-Didot, p. 4-12.
(2) MASPÉRO. *Comment Alexandre devint dieu*, p. 26-27.

la circonstance par Nectanébo devaient revêtir
la peau du bélier pour jouer le rôle théoga-
mique. Ici, le second déguisement en serpent
n'a d'autre but que de rappeler la légende
connue d'Olympias s'unissant au serpent.

Le début de notre conte présente, d'ailleurs,
un autre intérêt. Nous y voyons Nectanébo
pratiquer l'envoûtement d'amour, selon sa formule la plus efficace : il fabrique une statuette
de femme en cire, il y inscrit le nom de la
reine et la couche sur une miniature de lit fabriquée tout exprès. Allumant ensuite auprès
d'elle les lampes mystiques, il *lui verse sur les
yeux le suc de diverses herbes efficaces à produire les songes,* puis il récite une incantation
impérieuse par la vertu de laquelle la reine
endormie subit dans son rêve tous les actes
que le magicien décrit à son image (1).

Cet envoûtement d'amour que nous décrit
Pseudo-Callisthène nous fait voir ce qui devait se passer le plus ordinairement dans les
temples où les femmes allaient veiller pour im-
plorer la cessation de la stérilité. Endormies,
grâce à un breuvage somnifère et aphrodi-
siaque, elles avaient des rêves d'une précision
évocatrice et dont, après l'éveil, le souvenir

(1) PSEUDO-CALLESTHÈNE, V, édit. Muller-Didot, p. 5-6.

les persuadait qu'elles avaient eu les faveurs
d'un dieu (1).

La théogamie traditionelle des reines d'E-
gypte se rattache, en somme, à d'anciens rites
propres à procurer la fécondité, pratiqués
d'abord dans les temples de Mendès et de
Thèbes sous forme de communion ou de flagellation totémiques, plus tard un peu dans
toute l'Egypte, sous forme de veilles sacrées
et de songes provoqués. Les théogamies, une
fois anthropomorphisées, donnèrent certaine-

(1) En preuve de la veille dans les temples à telle fin, ce
récit que nous a transmis Suétone : « Je lis dans les traités
d'Asclepiade Mendès sur les choses divines qu'Atia (femme
d'Octave) étant venue au milieu de la nuit dans le temple
d'Apollon pour y faire un sacrifice solennel, fit poser sa
litière et s'endormit pendant que les autres matrones s'en
retournaient; que tout à coup un dragon se glissa vers elle
et peu après se retira; qu'elle se réveilla et se purifia comme
si elle sortait des bras de son mari; qu'enfin une tache qui
parut sur son corps imitait l'image d'un dragon et n'en put
être effacée, si bien qu'Atia s'abstint à jamais des bains pu-
blics. Auguste naquit dans le dixième mois et pour cette raison, il fut regardé comme le fils d'Apollon, SUÉTONE. *Octavius
Augustus*, c. 94. — Cette veille dans les temples à fin de
fécondité se pratiquait encore dans les dernières années
du XVIIIe siècle. A Isernia, dans l'église Saint-Côme et
Damien, les personnes qui se rendaient à la fête de ces
saints couchaient pendant deux nuits, les unes dans l'église
des Pères Capucins, les autres dans celle des Cordeliers et
lorsque ces deux églises étaient insuffisantes, l'église de
l'ermitage de Saint-Côme recevait le trop-plein. DULAURE.
Des divinités génératrices, 2e éd., Paris, 1825, in-8°, p. 226.
Dans ces églises, desservies par des moines catholiques,
toutes les veilleuses n'étaient pas également favorisées. Il
ne s'agissait plus d'ailleurs d'évocations aussi précises.

ment lieu à des pratiques sacerdotales qui
nous paraissent aujourd'hui singulièrement libres (1).

Si l'on excepte l'aventure du dieu Mars
avec Rhéa Sylvia, la tradition des théogamies
anthropomorphiques ne paraît pas s'être beaucoup répandue hors de l'Egypte (2). Cependant on en trouve plusieurs exemples chez les
Grecs. Chacun sait comment Jupiter réussit à
séduire Alcmène en empruntant les traits
d'Amphitryon, son époux (3). Si nous doutions que cette histoire ait été copiée sur les

(1) Il n'en est pas de même à un certain degré de civilisation. « La superstition a porté certains peuples à céder
les prémices des vierges aux prêtres de leurs idoles. Les
prêtres du royaume de Cochin et de Calicut jouissent de ce
droit; la superstition aveugle de ces peuples leur fait com-
mettre ces excès dans des vues de religion. » BUFFON.
Œuvres, éd. Ledoux, Paris, 1845, in-4°, III, p. 239, col. 1.
On trouvera d'autres références dans BÉRENGER-FÉRAUD.
Superstitions et Survivances, Paris, 1896, in-8°, II, p. 196-
197 et 198.

(2) Cette croyance ne fut pas étrangère aux Sémites. La
Bible elle-même en témoigne, lorsqu'elle nous parle de
l'union des mortelles et des Elohims. Dans l'Inde, où l'on
admettait fréquemment que les prêtres prélèvent les prémices des vierges, on ne parle point de saints personnages
qui soient nés de l'union d'un dieu à forme humaine avec
une femme. Indra, le dieu du ciel séduisit, il est vrai,
l'épouse de Gautama, en revêtant l'aspect de ce saint ascète;
mais il n'est point dit que leur union fut féconde. Bien
plus, les deux coupables furent aussitôt et sévèrement châ-
tiés, le dieu se vit subitement privé de ses testicules. —
RAMAYANA, I, 49, 17 et seq.

(3) DIODORE DE SICILE, IV, 14.

13.

récits des théogamies égyptiennes, il serait
facile de nous en convaincre.

« J'ai, dit Hérodote, plus d'une preuve, que
les Egyptiens n'ont point emprunté le nom
d'Hercule aux Grecs, mais plutôt les Grecs
aux Egyptiens et notamment ceux qui ont
appelé ainsi le fils d'Amphitryon. D'abord,
les deux parents de ce dernier étaient origi-
naires de l'Egypte (1) ».

Ces théogamies anthropomorphiques qui,
nées sur le sol égyptien, se rattachent au totémisme le plus grossier, une fois triomphantes
chez les Grecs, se spiritualisèrent de plus en
plus non seulement par l'oubli de leurs premières origines, mais encore par une façon
toute métaphysique de se les représenter.

Plutarque n'ignorait point les nombreuses
naissances dont on attribuait la paternité à
Apollon. Il raconte même le cas d'une jeune
femme du Pont qui se prétendait enceinte
par l'œuvre de ce dieu et dit-il « elle accoucha
d'un fils que les personnes les plus considé-
rables briguèrent l'honneur de nourrir et d'é-
lever et qui, je ne sais pour quelle raison, fut

---

(1) Hérodote, II, 43. — Je n'entends pas admettre, avec
Hérodote, qu'Hercule est un dieu d'origine égyptienne; mais
cette histoire que l'on racontait au sujet d'Alcmène et
Amphitryon me semble évidemment d'origine égyptienne.

appelé Silène (1) ». Certes, il sait à quoi s'en
tenir sur le mensonge de cette femme et sur les
artifices de Lysandre ; mais il ne saurait ignorer qu'il existe d'autres histoires analogues
qui courent le monde.

Plutarque ne peut admettre qu'un être divin
s'unisse à une substance mortelle ; mais il ne
croit pas impossible que l'esprit d'un dieu
s'approche d'une femme et lui communique
des principes de fécondité (2). Il s'exprime encore plus explicitement par la bouche du La-
cédémonien Tyndarès : « Je crains que le fait
d'engendrer ne paraisse aussi incompatible
avec l'immortalité d'un dieu, que celui d'être
engendré ; puisque le premier de ces deux
actes constitue aussi bien que l'autre, un changement, une passion... Mais je reprends courage lorsque j'entends Platon lui-même appeler « père et créateur du monde et de tout ce
qui existe » le Dieu incréé et éternel. Non pas
que rien soit créé par semence, mais parce
qu'en Dieu réside un autre pouvoir, imprimant
à la matière une vertu génératrice qui la mo-
difie et la change.

(1) PLUTARQUE. *Vie de Lysandre,* ch. XXX, trad. Ricard,
II, p. 407. — Il faut lire dans Plutarque toute l'histoire de
cette machination imaginée par Lysandre.
(2) PLUTARQUE. *Vie de Numa,* ch. VI, trad. Ricard, I,
127.

Le vent même le vent peut du sein de la nue
Féconder les oiseaux avant que soit venue
L'époque de la ponte......

Je ne trouve donc rien d'étrange à ce que
Dieu se rapproche d'une mortelle aussi bien
que le fait un homme. Seulement c'est par
des étreintes d'un autre genre, par d'autres
organes, par d'autres contacts qu'il la subjugue
pour déposer dans les flancs d'une créature
humaine un germe plus divin (1). »

Plutarque ne devait pas être le premier à
exposer de semblables idées (2). C'est, sans
aucun doute dans un sens ainsi épuré que l'on
attribua le privilège de l'union divine aux
mères des réformateurs religieux et des sages.

(1) PLUTARQUE. *Symposiaques*, Liv. VIII, quest. I, § 3,
trad. Bétolaud, IV, 421.

(2) Elles sont l'aboutissant nécessaire d'un progrès de la
pensée réfléchissant sur les antiques naissances divines. Nous
le constatons dans la curieuse tradition tartare relative à la
naissance de Genghis-Khan. Sa mère le conçut par la seule
vertu d'un regard de Dieu. D'autre part, tout le reste de la
légende marque un emprunt visible à l'histoire de Danaé.
HARTLAND. *The Legend of Perseus*, London, 1894, I, 139-
142, d'après RADLOFF, *Proben der Volkslitteratur der Turkischen Stamme Süd-Sibiriens*, St-Pétersbourg, 1866-1886,
III, 82.

Dans certain cas les conceptions dues à un simple regard
peuvent dériver d'une idée plus grossière, l'action magique
des yeux de certains personnages, sorciers ou génies, comme
dans les traditions groupées par HARTLAND, I, 142-144. Mais
cela ne me semble pas du tout le cas dans la légende tartare.

C'est ainsi que Pythagore fut considéré comme
le fils d'Apollon Hyperboréen (1) et parfois
confondu avec ce dieu du ciel, les Crotoniates
l'adoraient sous ce nom (2).

Apollon passait également pour le père de
Platon. Au dire de Diogène Laerce « Speusippe dans son livre intitulé *Le banquet de
Platon*, Cléarque dans l'*éloge* de ce sage et
Anaxilide dans ses *Vies des Philosophes*, rap-
portaient que le bruit courait à Athènes qu'A-
riston fut obligé de différer son union avec
Périctione et qu'ayant eu une vision d'Apollon
en songe, il n'approcha point d'elle *jusqu'à
ce qu'elle fut accouchée* (3) ».

On n'a pas manqué de remarquer l'analogie
de ce texte avec un passage des Evangiles qui

(1) PORPHYRE, 20; JAMBLIQUE. *Vita Pythagoræ*, II, 2;
DIOD. DE SIC. *Fragm.*, 554.

(2) *Elien*, II, 26; *Diog. Laerce*, VIII, 11; *Porphyre*, 28.
— La formation de la tradition pythagoricienne peut s'expliquer par une double influence égyptienne et bouddhique.
Il n'est pas douteux que la doctrine de Pythagore ne doive
beaucoup à l'Inde spécialement en ce qui regarde la théorie
de la transmigration.

(3) *Diog. Laerce*, liv. III, ch. I, § I. — Diogène Laerce
n'écrit qu'au second ou troisième siècle après J.-C.; mais
pour ce qui est des auteurs qu'il cite : Speusippe était le
neveu de Platon; Cléarque et Anaxilide appartenaient vraisemblablement à la génération de Platon ou au plus tard à
la génération suivante. L'histoire de la naissance miraculeuse de Platon, de même que celle de Pythagore est donc
bien antérieure au christianisme.

a donné lieu à d'inépuisables discussions. Il est dit, en effet, de Joseph, dans Mathieu : « Il ne connut pas sa femme jusqu'à ce qu'elle eut mis au monde son fils premier né (1). »

Justin semble avoir le premier tiré argument des fables païennes pour justifier la génération miraculeuse du Christ ; mais cet ancien platonicien semble éviter de rappeler la légende qui courait sur l'auteur des *Dialogues* (2). Origène est moins réservé. Il argumente ainsi contre Celse : « Qu'y a-t-il donc de si incroyable à dire que Dieu, ayant dessein d'envoyer aux hommes un docteur tout divin et tout

---

(1) *Math.*, I, 25. — Ce texte est appuyé par celui de *Luc* II, 7. Elle met au monde son fils premier né. — Helvidius et Bonose qui soutinrent après Tertullien que les frères et sœurs de Jésus, dont parle l'Evangile, étaient les enfants puînés de l'union consommée de Marie et de Joseph, ne songèrent point à tirer argument du parallélisme de ces textes, bien que l'expression *jusqu'à* (εως) soit évidemment employée dans le même sens par Diogène et par Mathieu. Cfr. STRAUSS. *Vie de Jésus*, trad. Littré, Paris, 1856, in-8°, I, 230.

(2) « Quand nous disons que le Verbe premier, né de Dieu, Jésus-Christ, notre maître, a été engendré sans opération charnelle, qu'il a été crucifié, qu'il est mort et qu'après être ressuscité il est monté au ciel; nous n'admettons rien de plus étrange que l'histoire de ces êtres que vous appelez fils de Zeus. Vous n'ignorez pas combien vos auteurs les plus estimés prêtent de fils à Zeus... Et combien d'histoires on raconte de tous ces prétendus fils de Zeus, vous le savez et je n'ai pas besoin de vous le dire. » I, *Apologie*, I, 21, éd. Pautigny, p. 43-45. — On trouve un raisonnement semblable dans Tertullien. *Apolog.*, 21.

extraordinaire, ait voulu qu'au lieu que les autres doivent leur naissance à un homme et à une femme, il ait eu dans la sienne quelque chose de singulier ?...

Et puisque nous avons affaire à des Grecs, il ne sera pas hors de propos de nous servir des histoires grecques, afin qu'on ne dise pas que nous sommes les seuls qui rapportons un évènement si peu commun. Car il y a des auteurs qui, parlant non des vieux contes des temps héroïques, mais de choses arrivées depuis trois jours, n'ont point fait difficulté d'écrire comme une chose possible, que Platon était né d'Amphictyone, sans qu'Ariston y eut en rien contribué ; lui ayant été défendu de toucher à sa femme *jusqu'à* ce qu'elle eut mis au monde l'enfant qu'elle avait conçu du fait d'Apollon. Quoique dans le fond ce ne soit là qu'une fable inventée en faveur d'un homme dont l'esprit et la sagesse faisaient croire que, comme il avait quelque chose de plus qu'humain, il fallait que les principes de son corps fussent plus excellents et plus divins que ceux du corps des autres hommes (1) ».

Origène, en alléguant la fable platonicienne, indique très justement le mobile qui la fit in-

(1) ORIGÈNE. *Contr. Celse*, I, 37.

venter ou plus exactement qui fit orner la vie
du philosophe de cette théogamie anthropomorphique. Saint Jérôme ne s'y est pas mépris
davantage; parlant des disciples de Platon, il
écrit : « Ils pensaient que le prince des Sages
ne pouvait naître que d'une vierge (1). »

Mais à son tour, quand il s'agit de répondre
à Helvidius qui arguait des frères et sœurs de
Jésus contre la virginité de Marie, que trou-
vera-t-il à lui rétorquer? Il lui adresse ces paroles : « Je pourrais à la rigueur te dire que
Joseph, à l'exemple d'Abraham et de Jacob,
a eu plusieurs épouses, et que les frères du
Seigneur sont les enfants de ces épouses.
Et certes, en te donnant cette réponse, je
ne ferais que suivre le sentiment général.
Mais ce sentiment est téméraire et *froisse
la pitié*. Tu prétends que Marie n'est pas
restée vierge. Eh bien, moi j'affirme que
Joseph lui-même a été vierge et que le Christ
vierge, est né d'un mariage de vierges (2). »

Saint Jérôme rejette l'opinion de son adver-
saire au nom de la piété. Il fait plus, toujours
au nom de la piété, il proclame la virginité
de Joseph lui-même et contredit ainsi à toute
la tradition de la primitive Eglise qui faisait

(1) *Adv. Jovin*, VI, c. 42, P. L., T. XXIII, p. 273
(2) *Contr. Helvid*, 19.

des frères et sœurs de Jésus les enfants d'un premier mariage de Joseph (1).

La piété et peut-être la flatterie envers les Pharaons, les fit naître de théogamies divines. La piété de deux grands peuples civilisateurs attribua une semblable génération à Romulus, le fondateur de la Ville éternelle, à Hercule, le bienfaiteur de l'Univers. Enfin la piété de disciples enthousiastes incorpora aux légendes des maîtres de la pensée morale le thème de la conception virginale, telles les traditions relatives à Pythagore, à Platon et à Jésus.

Lorsqu'on parle de la conception de Jésus, on ne songe ordinairement qu'à l'action du Saint-Esprit que l'on se représente sous la forme d'une colombe d'où s'échappent des rayons qui enveloppent et pénètrent les flancs de la Vierge Marie. Mais c'est là une tradition d'origine iconographique qui, pour être populaire, n'en est pas moins fort incomplète.

L'église de la Madeleine, à Aix en Provence, possède une peinture représentant l'Annonciation et qui est attribuée à Albert Dürer. On y voit, dans des vagues de gloire qui s'échap-

---

(1) G. HERZOG. *La Sainte Vierge dans l'Histoire.* P. Nourry, 1908, in-8°, p. 18-19. — Les rédacteurs des généalogies évangéliques admettaient tout simplement que Jésus ainsi que ses frères et sœurs était né des œuvres de Marie et de Joseph.

pent de Dieu le Père, un bébé minuscule qui descend vers la Vierge (1). Si Dürer ne semble avoir tenu compte que de l'action du Père, Fra Filippo Lippi a su indiquer la double intervention du Père et du Saint-Esprit. Dans une peinture, conservée aujourd'hui à la National Gallery, la Vierge est assise sur une chaise, tenant son livre d'heures à la main, tandis que l'ange Gabriel s'incline devant elle. En haut du tableau, de la main droite du père, dissimulé dans les nuages, une colombe s'échappe parmi des flots de gloire qui descendent jusqu'au cœur de la Vierge. Celle-ci, curieusement se penche pour contempler ce spectacle merveilleux. Cette œuvre, d'une grâce exquise, l'une des plus belles pièces de l'art toscan, nous rappelle encore cette page de Bossuet où s'exprime surtout la puissante fécondité du Père céleste.

Prêchant dans la fête de l'Annonciation, il débute ainsi :

« Dans cette auguste journée, en laquelle le Père céleste avait résolu d'associer la divine vierge à sa génération éternelle, en la faisant

---

(1) « Durant le XV⁰ siècle, on pensait communément que Jésus avait pénétré déjà complètement formé dans le sein de la vierge; mais les théologiens éclairés de Dieu ont déclaré cette opinion hérétique. » HARTLAND. *The Legend of Perseus*, I, 131.

mère de son fils unique; comme il savait, chrétiens, que la fécondité de la nature n'était pas capable d'atteindre à un ouvrage si haut, il résolut aussi tout ensemble de lui communiquer un rayon de sa fécondité infinie. Aussitôt qu'il l'eut ainsi ordonné, cette chaste et bénite créature parut tout d'un coup environnée de son Saint-Esprit et couverte de toutes parts de l'ombre de sa vertu toute puissante. *Le Père éternel s'approche en personne, qui ayant engendré en elle-même ce fils tout-puissant qu'il engendre en lui-même devant tous les siècles;* par un miracle surprenant, une femme devient mère d'un Dieu, et celui qui est si grand et si infini, si je puis parler de la sorte, qu'il n'avait pu jusqu'alors être contenu que dans l'immensité du sein paternel, se trouva en un instant renfermé dans ses entrailles bienheureuses ».

Cette théogamie du Père éternel et de la Vierge Marie, toute pure et toute immatérielle, n'est-elle point comme l'ombre spiritualisée des anciennes théogamies païennes?

IX

L'Idéalisation de la naissance du Christ

« Pour écarter les récits de la naissance miraculeuse et de la conception virginale, il suffit de constater qu'ils ont été ignorés de Marc et de Paul ; que ceux de Mathieu ne peuvent s'accorder avec ceux de Luc, et qu'ils présentent les uns et les autres le caractère de fictions.

A LOISY. *Simples Réflexions*. Ceffonds, 1908, in-12, p. 158.

« L'idéalisation inévitable et légitime du Christ, se produisant spontanément dans la conscience chrétienne, et non par un travail d'observation rigoureuse et de réflexions méthodiques, a dû affecter, jusqu'à un certain point, la forme d'un développement légendaire, et elle se présente comme telle au premier regard du critique, bien qu'elle ne soit en elle-même, qu'une expansion de la foi et un moyen encore insuffisant de placer Jésus à la hauteur qui lui convient ».

A LOISY. *L'Evangile et l'Eglise*, Bellevue, 1908, in-12 p. 21-22.

Certaines merveilles qui embellissent la naissance du Christ nous ont apparu comme des thèmes miraculeux associés aux théogamies solaires : on s'étonnera peut-être que nous prétendions, par la suite, rattacher le thème de la naissance virginale aux théogamies anthropomorphiques. Il n'est rien là pourtant de contradictoire. Les théogamies anthropomorphiques, dont les centres de propagation furent spécialement Thèbes et Mendès, sont aussi, dans un sens très réel, des théogamies solaires. Ammon Râ ou Râ, est en effet le soleil. L'Osiris de Mendès est également le soleil. Les anciens totems de ces deux nômes avaient été en quelque sorte assimilés à l'astre du jour, vers le même temps qu'ils recevaient une forme anthropomorphique. Ce double rapprochement n'offre donc point de contradiction. Il est des formes légendaires qui servirent de tous temps à embellir, à idéaliser, à glorifier la naissance des grands hommes. A l'époque où se constitua la légende de Jésus, les cultes solaires semblaient avoir conquis tout l'empire romain (1). On ne doit donc point s'étonner que ces antiques imaginations aient prêté leurs contes et leurs merveilles mythiques pour fournir un cadre de gloire à la figure du nouveau dieu. Les chrétiens d'origine païenne, en apprenant que Jésus était le Fils de Dieu, ne purent guère ne pas se rappeler les récits fabuleux dont on avait bercé leur enfance. Tous avaient entendu parler de quelque autre dieu né d'un dieu plus ancien.

Les premiers païens convertis qui transmirent à d'autres païens, qu'ils désiraient atti-

(1) P. Saintyves. *Les Saints successeurs des dieux*, Paris, Nourry, 1907, in-8°, p. 355 et suiv.

rer à la foi, les récits dont leur avait fait
part les témoins de la carrière terrestre du
Christ ne manquèrent pas d'ajouter aux premières traditions, les détails qu'ils jugèrent
propres à séduire ou à étonner leurs auditeurs
bénévoles. On avait vu de tous temps la naissance des fils des dieux (1) marquée par des
prodiges : comment, à plus forte raison, les
mêmes merveilles eussent-elles manqué d'être
vraies quand il s'agissait du Fils unique du
vrai Dieu ? Tous les nouveaux chrétiens ne se
trouvaient pas en cet état d'esprit ; mais c'était
le cas du grand nombre.

Ceux qui venaient du judaïsme durent même
parfois élever de vives protestations contre les
premiers récits légendaires que firent courir
les chrétiens de race hellénique. — Celse l'avait
sûrement constaté puisqu'il place dans la bouche d'un juif la plupart des objections qu'il
élève contre les nombreux miracles dont s'il-
lustrent les récits de la naissance de Jésus. —
Il ne faut pas oublier que le monde juif
d'alors, même palestinien était largement hel-
lénisé et que les premiers judéo-chrétiens furent des gens du peuple qui, de quelque na-

(1) M. Guignebert adopte le sentiment de M. Herzog, au
sujet de l'influence de l'expression de *Fils de Dieu* sur la
formation du dogme de la naissance virginale. CH. GUI-
GNEBERT. *Modernisme et tradition catholique en France* dans
La Grande Revue, 25 nov. 1907, p. 313.

tion qu'ils soient, sont avides de merveilleux (1).
L'Ancien Testament n'est-il pas empli de prodiges. Isaac, Samson et Samuel n'étaient-ils
pas les enfants du miracle? La naissance de
Moïse n'est-elle pas marquée par des merveilles qui font songer à la naissance de Cyrus?

Pour ce qui est des Grecs d'alors, même chez
les Grecs cultivés, la dose de foi au nterveil-
leux qu'ils supportent est considérable; pour
les gens du commun elle était comme la sot-
tise humaine incommensurable (2).

Origène n'ignore point que les légendes
attaquées par Celse n'ont pas de sérieux fondements historiques, et il n'essaie point de les
établir par un exposé critique des témoignages : « Avant de répondre à Celse, écrit-il, il
faut remarquer qu'en matière d'histoire, quelque véritable qu'elle soit, il serait le plus souvent très difficile et même quelquefois impossible d'en établir la vérité par des preuves con-
vaincantes... J'ai pris occasion de dire cela par

---

(1) Les prosélytes qui formèrent le fond du christianisme
nouveau furent des Hellènes. HARNACK. *Die Mission und
Ausbreitung des Christenthums,* Leipzig, 1902, p. 301 et
suiv.
(2)La véritable patrie primitive du christianisme fut surtout
l'Asie Mineure, le pays le plus pieux du monde; le plus
crédule aussi. ABBÉ DE GENOUILHAC. *L'Eglise chrétienne
au temps de saint Ignace d'Antioche,* Paris, 1907, in-8°,
p. 5 et 12.

avance sur toute l'histoire de la vie de Jésus,
non pour demander aux personnes éclairées
qu'elles croient aveuglément et sans examen ;
mais pour faire voir que quand on lit les Evangiles, il est nécessaire d'y apporter une grande
application et d'entrer, pour ainsi dire, dans
l'esprit de nos auteurs, afin de juger dans
quelle vue ils ont écrit chaque chose. »

Aussi bien, il fait mieux : il entreprend de
démontrer contre Celse la réalité de chacun
des miracles que celui-ci traite de fable et, pour
chacun d'eux, il emploie une même argumentation : 1° Il établit que les Grecs recevaient
déjà des histoires analogues quand il s'agissait
de leurs dieux et que, par suite, il n'y a pas
de raison, à *priori*, pour qu'ils les rejetassent
lorsqu'elles étaient contées par des chrétiens ;
2° S'adressant alors spécialement aux Juifs,
il s'efforce de leur montrer la réalité de ces
mêmes histoires en prouvant qu'elles étaient
l'accomplissement de quelque *prophétie.*

Le principe essentiel de la critique historique pour Origène, peut donc s'énoncer ainsi :
*On ne saurait douter de la vérité d'une tradi-
tion même douteuse ou appuyée d'insuffisants
témoignages, lorsqu'elle est visiblement la réa-
lisation d'une prophétie.* Ce principe nous paraît aujourd'hui quelque peu inquiétant. Tel
fut cependant le fondement où s'affermirent les

16

contes les plus extraordinaires. Une nouvelle
tradition venait à se répandre sur le Christ :
on pouvait la recevoir ou la rejeter; mais il ne
manquait pas de fidèles pour l'accepter et la
consigner en quelque évangile, si l'on croyait
y voir la réplique de quelque prédiction biblique. Origène va nous en fournir un premier exemple.

Le Thème de l'Étoile de la Nativité. —
« Voyons, dit-il, ce qu'il y a à dire sur ce sujet.
Je crois que l'étoile qui parut en Orient était
d'une nouvelle espèce, et qu'elle n'avait rien
de semblable à celles que nous voyons, soit
dans le firmament, soit dans les orbes infé-
rieures; mais qu'elle était à peu près de même
nature que les comètes... Voici les preuves de
mon opinion. On a observé que, dans les
grands évènements et dans les changements
les plus remarquables qui arrivent sur terre,
il paraît de ces sortes d'astres qui présagent
ou des révolutions d'empire, ou des guerres,
ou d'autres tels accidents capables de boule-
verser le monde. J'ai même lu dans le *Traité
des Comètes,* du stoïcien Chérémon, qu'il en
a paru quelquefois à la veille de quelque évènement favorable et il en rapporte des exemples. S'il est donc vrai qu'à l'établissement de
quelque nouvelle monarchie, ou à l'occasion
de quelque autre changement des affaires hu-

maines, on voit paraître des comètes ou quelque autre astre de même nature, faut-il s'étonner qu'il ait paru une nouvelle étoile à la naissance d'une personne qui devait causer un si grand changement parmi les hommes...

A l'égard des comètes, je puis bien dire qu'on n'a jamais vu qu'aucun oracle ait marqué qu'il en paraîtrait une certaine en tel temps, ou à l'établissement de tel empire ; mais pour celle qui parut à la naissance de Jésus, Balaam l'avait prédite en ces termes, selon que Moïse nous le rapporte : Une étoile se lèvera de Jacob et un homme sortira d'Israël (Nombres XXIV-17 (1). »

Lisez le *Contre Celse* et vous verrez cette méthode de démonstration historique se renouveler indéfiniment. Origène n'arrive guère, il est vrai, à nous convaincre ainsi de la véracité des légendes miraculeuses contées par les Evangiles. Mais il nous force à constater que les chrétiens des premiers siècles pensaient avoir suffisamment établi la vérité d'un fait rapporté par une tradition, quand ils avaient découvert un texte biblique qu'ils pouvaient considérer comme l'ayant annoncé longtemps à l'avance. Il n'était même pas rare qu'on invente un fait pour vérifier ce que l'on consi-

(1) Origène. *Contre Celse*, I, 58 et suiv.

dérait comme une prophétie. Le plus souvent, d'ailleurs, l'invention demandait peu d'effort ; on se contentait de puiser dans les traditions mythiques et légendaires, qui formaient le folklore de l'époque.

Cet état d'esprit n'était point particulier aux chrétiens du temps d'Origène. On le retrouve chez les rédacteurs des apocryphes, et même chez les auteurs de nos évangiles canoniques.

Le thème des animaux adorateurs et secourables. — Nous avons rencontré ce thème en Corée avec Tchu-Mong, habile à lancer des flèches ; en Mandchourie orientale avec Tong-Ming, clarté de l'Orient ; et, dès l'antiquité la plus reculée en Chine avec Héou-tsi : « Sa tendre mère le couche dans un petit réduit à côté du chemin ; des bœufs et des agneaux l'échauffent de leur haleine ; les habitants des bois accourent malgré la rigueur du froid ; les oiseaux volent vers l'enfant comme pour le couvrir de leurs ailes. »

Chacun connaît une légende chrétienne, fort analogue, tout au moins par les deux bêtes en bois ou en carton peint qui font partie du mobilier obligé de nos crèches liturgiques.

Il est très assuré que ce récit apocryphe n'a rien d'historique : la tradition judéo-chrétienne et les Evangiles canoniques l'ignoraient. « Baronius, si souvent affirmatif à contre-temps,

écrit Dom Leclerq, a groupé quelques textes
des Pères dans lesquels il a cru trouver autant
d'attestations de l'origine de cette tradition (1).
Ses affirmations ont été contredites par Tille-
mont (2) et les textes réduits à leur juste valeur (3). »

Comment se fait-il cependant que cette légende soit incorporée aujourd'hui à la tradition chrétienne et qu'elle ait été consacrée par
une pratique liturgique universelle? Le pseudo-Mathieu à qui nous devons l'histoire de la
Nativité s'était contenté de produire le témoignage des prophètes. Mais pour les chrétiens,
ce fut une preuve autrement convaincante que
ne l'aurait été l'attestation des témoins ocu-
laires. Rien ne pouvait valoir un témoignage
qui était en même temps un miracle. Habacuc
avait écrit : « Accomplis ton œuvre dans le
cours des années, ô Iahvé, dans le cours
des années, manifeste-la (4) » et les Septante
avaient traduit : « Tu te manifesteras au
milieu de deux animaux. » Cette mauvaise
traduction grecque n'avait pas sans doute
un sens bien clair; ce texte défiguré se

(1) *Annales Ecclesiastici* (édit. Pagi), Lucæ, 1753, T. I,
p. 2.
(2) *Mémoires pour servir à l'Histoire Eccles.*, Paris, 1756,
T. I, p. 423.
(3) Dom Leclercq. V° *Ane.* dans D. Cabrol, *Dict.
d'Arch.*, I, 2048.
(4) *Habacuc*, III, 2.

rapportait-il même au Christ? Aucun n'eut
pu l'affirmer. Mais on découvrit bientôt dans
Isaïe un texte complémentaire : « Le bœuf
et l'âne, dit le prophète, connaîtront leur
maître (1). »

Que la tradition tirée d'on ne sait où,
sans doute du folklore païen, se soit ainsi
affermie par la transformation en prophéties
de deux phrases qui n'en pouvaient mais,
l'Evangile apocryphe du Pseudo-Mathieu nous
en est un sûr garant, : « Le troisième jour
de la naissance du Seigneur, y est-il dit,
la bienheureuse Marie sortit de la caverne
et entra dans une étable où elle plaça
l'enfant dans la crèche; et le bœuf et l'âne
l'adorèrent. Alors fut accompli ce qui avait été
dit par le prophète Isaïe : Le bœuf connaît
son maître et l'âne, la crèche de son Seigneur.
Ces deux animaux, l'ayant au milieu d'eux,
l'adorèrent sans cesse. Alors fut accompli également ce qu'avait dit le prophète Kabame
(Habacuc) : Tu seras comme au milieu de
deux animaux (2). »

Le P. de Prémare voyait dans l'histoire
d'Héou-tsi, une application prématurée de ce

_____

(1) *Isaïe,* I, 3.
(2) Ps. MATHIEU. *Histoire de la Nativité de Marie,* ch.
XIV dans BRUNET, *Dict des Apocryphes,* Paris, 1856, I,
1075.

que rapportait sur la venue du Sauveur, presque dès l'origine du monde, la Révélation primitive : « Le poète qui a chanté la naissance de Héou-tsi, écrit-il, tandis que les Tchéou étaient sur le trône, a appliqué à ce prince ce que la tradition racontait de la conception et de la naissance d'un libérateur; ainsi que fit Virgile dans son églogue sur la naissance de Pollion (1). »

Il est, je crois, beaucoup plus sûr de penser que le poète chinois n'a attribué à Héou-tsi qu'un vieux thème légendaire qui ne se fut probablement jamais constitué si les hommes n'eussent jadis exposé aux animaux les enfants dont ils soupçonnaient la naissance illégitime. Plus tard, ce même thème s'est introduit dans la trame de la vie de Jésus et s'y est incrusté, malgré les résistances des anciens juifs, auxquels on opposa d'étranges interprétations de leurs prophètes bibliques.

Le Thème de la persécution de l'enfance des grands hommes : Le massacre des Innocents et la fuite en Egypte. — Nous avons déjà remarqué combien il est fréquent dans l'histoire des Sauveurs ou des Libérateurs que le prince régnant, à la suite d'une vision ou d'un songe,

(1) P. DE PRÉMARE. *Vestiges des principaux dogmes chrétiens tirés des anciens livres chinois,* Paris, 1878, in-8°, p. 210.

ait donné l'ordre d'exposer ou de tuer l'enfant dont il redoutait la grandeur future.

Cependant nous ne saurions négliger de rapporter ici l'histoire de Krichna, huitième incarnation de la seconde personne de la trinité brahmanique. Le royaume de Mathoura gémissait sous le joug sanguinaire du tyrannique Kansa. Vichnou, indigné des maux qu'il faisait subir à son peuple, résolut d'abattre sa puissance et de le punir de ses forfaits. Dans ce but, il s'incarna dans le sein de Devaki, la sœur du tyran alors fiancée à Vasoudéva, directeur des domaines de cette province. Pendant les réjouissances des noces un mauvais génie, avisé du dessein de Vichnou, s'en vint dire à Kansa : Pourquoi te réjouis-tu ? ce mariage te sera funeste, et le huitième enfant qui naîtra de ta sœur causera ta perte. Kansa, affolé, fit cesser les réjouissances et voulut tuer sa sœur. Mais Vasoudeva l'en avait empêché en lui promettant de lui livrer tous ses enfants mâles. Par la suite, dès qu'il était avisé de la naissance d'un enfant de sa sœur, le tyran accourait et le précipitait du haut de la maison sur le sol. Il en avait déjà détruit sept lorsque Vichnou se substitua au huitième, dans le sein même de Dévaki. Il semblait ne pouvoir échapper au sort de ses aînés ; or, au moment où il vint au monde

des musiques célestes se firent entendre, cou-
vrant les plaintes de la mère. Il était minuit,
Krichna à peine né prit aussitôt la parole et
dit à Vasoudéva de le faire transporter au delà
du fleuve Yamouna. Vasoudeva appela aussitôt Nanda, son serviteur le plus fidèle, et lui
remit le jeune dieu en lui disant : « Le vil
Kansa enverra sans doute chercher l'enfant
Krichna, dont il désire la mort, allez-vous-en
tous d'ici avant que les Rackhasas viennent
vous chercher. » Les gardes endormis par miracle laissèrent passer Nanda. Mais Kansa,
qui attendait la venue de l'enfant, sut bientôt,
qu'à peine venu au jour, il avait disparu. Les
mauvais démons, les Asouras s'assemblèrent
et vinrent encore exciter sa colère et sa terreur :
Ordonne-lui, dirent-ils, de faire massacrer tous
les nouveau-nés de la tribu de Yadou. Fou de
rage, Kansa donna cet ordre. Tous les enfants
furent masacrés, sauf Krichna que l'on avait
emporté au loin (1).

Personne ne méconnaîtra la ressemblance
de ce récit avec le double récit évangélique du

(1) Abbé Bertrand. *Dict. des Religions*, art. *Krichna*,
III, 266 et seq., qui s'est servi de trois ou quatre traditions. — On trouvera deux versions originales de cette naissance dans H. H. Wilson. *Wishnu-purâna*, Londres, 1840,
in-4°, V, 1-4; p. 491-504 et Th. Pavie. *Krichna et sa doctrine*, trad. du X° livre du *Bhagavata-Purâna*, Paris, 1852,
in-8°, p. 7-20.

massacre des Innocents et de la fuite en
Egypte. D'aucuns prétendent même qu'une
telle similitude ne peut s'expliquer que par un
emprunt aux Evangiles (1); d'autres soutien-

(1) La démonstration n'a été faite que pour des formes
tardives de la légende : « Des coïncidences d'une nature
particulière ont permis à Weber d'affirmer l'influence exer-
cée par le christianisme sur certaines formes de la religion et de la légende de Krsna Ce dieu, jadis cruel et guerrier, est devenu une incarnation de Dieu, descendu parmi
les hommes pour les sauver par la foi et par l'amour.
Neveu d'un roi que les oracles ont prévenu, ses six premiers
frères ont péri dans un « massacre des innocents ». Il est
élevé par un père nourricier, puis au milieu des bergers.
Il naît dans une prison. Tout cela n'est pas décisif : L'Hérode en question est de date ancienne. Mais, d'après la
forme moderne de la légende, Krsna naît dans une étable
où il y a un âne et un bœuf et sur laquelle brille l'étoile
de la Nativité; on adore Krsna, ainsi que sa mère Devaki,
en représentant l'enfant au sein de sa mère, « madonna
lactans »; et ce qui est non seulement imprévu mais absurde,
les parents de Krsna s'étaient rendus à Muttra « pour
payer la taxe ». Dès lors, le cas est jugé : l'altération du
type ancien de Krsna pour la première fois adoré comme
EnfantDieu, la substitution d'une étable à la prison où le
méchant roi avait enfermé Devaki, l'addition de détails
sans précédents indigènes, la concordance iconographique
soigneusement étudiée par Weber, ne laissent aucune place
à un doute même méthodique; la date tardive des sources
krsnaïtes en cause et l'existence avérée des communautés
nestoriennes dans l'Inde, permettent de conclure avec une
pleine assurance. » L. DE LA VALLÉE POUSSIN. Le Boudhisme et les Evangiles canoniques dans Revue Biblique.
Juillet 1906, p. 358. — Je me permettrai, toutefois, d'insister sur ce point, que la démonstration ne vaut que pour
la forme moderne de la légende qu'a étudiée Weber. Le
thème de la fuite se retrouve dans les formes anciennes. —
L'établissement des communautés nestoriennes devait nécessairement amener la comparaison des deux légendes et

nent, au contraire, que les Evangiles ont dû
emprunter ces traditions à la légende de
Krichna. L'une et l'autre hypothèse sont le
fait de gens pressés.

L'abbé Bertrand, qui fut un indianiste remarquable a longuement comparé les histoires
de Krichna et de Jésus. Il écrit : « Nous
voyons en Jésus-Christ et en Krichna (Krist-
na) identité de nom, similitude d'origine et
de nature divine, quelques traits analogues
dans les circonstances qui ont accompagné leur
naissance, quelques points de rapprochement
dans leurs actes, dans les prodiges qu'ils ont
opéré et dans leur doctrine : toutefois, nous
n'avons pas eu l'intention de donner comme
démontré que la légende de Krichna ait été
calquée sur l'Evangile (1). »

Il serait encore moins scientifique de sou-
tenir que le plagiat de la légende de Krichna
par l'Evangile est suffisamment démontré. La
rédaction du Baghavata-Purâna est bien postérieure à celle des synoptiques; mais il est
certain, d'autre part, que le rédacteur indou
n'a point inventé les thèmes dont il orna la

par suite provoquer des emprunts ; mais la légende de
Krichna n'en est pas moins antérieure à la confrontation
nestorienne.

(1) ABBÉ BERTRAND. *Dict. des Religions*, V° Krichna, III,
287.

vie du dieu Krichna. Nous avons rencontré
plusieurs d'entre eux dans la vie de Bouddha
qui date certainement, au plus tard, du premier siècle de l'ère chrétienne. Ces thèmes, y
compris ceux de la fuite en Egypte et du massacre des Innocents ,ont dû appartenir dès une
haute antiquité au Folklore religieux de l'Inde.
Les connut-on dans le monde occidental? Cela
n'est point douteux. Suétone qui vécut au premier siècle de l'ère chrétienne nous rapporte,
d'après Julius Marathus, une fable qui courait du vivant même de l'empereur Auguste
(62 av. J.-C., 14 ap. J.-C.) « Peu de mois avant
la naissance d'Octave, un prodige s'était passé
publiquement à Rome, annonçant que la nature enfantait un roi pour le peuple romain ;
le sénat effrayé avait décidé qu'aucun enfant
engendré cette année ne serait élevé ; et ceux
dont les femmes se trouvaient alors enceintes,
chacun en vue de mettre l'espérance de son
côté, avaient pris des mesures pour que le
senatus-consulte ne fut point déposé au tré-
sor (1). » Julius Marathus, affranchi d'Auguste et son historiographe officiel n'avait
fait sans doute qu'utiliser à flatterie la tradition répandue d'un arrêt de mort collectif contre les mâles d'un pays et d'une génération

---

(1) SUÉTONE. *Vie des douze Césars*, Octave, 94.

d'où pouvait sortir un héros à la fois libérateur et dominateur.

On pourrait, à la rigueur, y voir un écho
d'une tradition sémitique. Qui ne se souvient
que Pharaon ordonna de mettre à mort tous
les enfants nouveau-nés qui appartenaient à
la tribu de Juda. Il est vrai que l'Exode ne
dit point qu'il visait particulièrement la destruction d'un enfant redoutable. Mais cette la-
cune avait sans doute été comblée par la tradition ; car l'historien Josèphe, qui vécut au premier siècle de notre ère (37-95), nous dit, en
effet, que le Pharaon fut déterminé à ordonner
la mort de tous les enfants mâles par la communication de ses hiérogrammates qui lui avaient
annoncé la venue d'un enfant hébreu destiné
à humilier les Egyptiens et à élever les Israélites (1).

Il est donc assuré, qu'au premier siècle de

---

(1) Antoninus Liberalis nous a conservé un curieux passage de Nicandre, qui vécut dans le second siècle avant
J.-C. — Ce mythographe perdu a connu, lui aussi, une
fuite des dieux en Egypte : « Typhon, fils de la Terre, était
un génie d'une forme monstrueuse... Il voulut détrôner
Jupiter : à cette attaque, tous les dieux s'enfuirent en
Egypte, moins Jupiter et Minerve. Typhon les poursuivit;
mais pour lui échapper, ils se métamorphosèrent adroite-
ment, Apollon en épervier, Mercure en Ibis, Mars en cro-
codile, Diane en chat, Hercule en paon, Vulcain en génisse,
Latone en musaraigne et les autres suivant leur fantaisie. »
ANTONIUS LIBERALIS, c. 28.

notre ère, à l'époque même de la rédaction des
Evangiles, en Occident comme en Orient, des
traditions couraient qui inspirèrent Julius Marathus, Flavius Josèphe, et sans doute aussi
la tradition chrétienne que Mathieu a consi-
gnée en ces termes : « Après que les mages
furent partis, un ange apparut en songe à
Joseph et lui dit Lève-toi ; prends le petit
enfant et sa mère, et t'enfuis en Egypte, et te
tiens là jusqu'à ce que je te le dise ; car Hérode cherchera le petit enfant pour le faire
mourir. Joseph donc étant réveillé, prit de nuit
le petit enfant et sa mère et se retira en Egypte.
Et il y demeura jusqu'à la mort d'Hérode.
*C'est ainsi que s'accomplit ce que le Seigneur
avait dit par un prophète : J'ai appelé mon
fils hors d'Egypte* (1). »

Ce texte d'Osée (2) qui sert à prophétiser
la fuite de la sainte Famille, parce qu'il est
censé faire allusion à son retour de ce pays
d'exil, n'aurait jamais suggéré par lui-même
une semblable application, si l'on n'eut eu besoin de justifier une tradition manquant d'ap-
puis historiques.

Quant au massacre des innocents que Mathieu est seul à rapporter, il a été inconnu des

(1) *Mathieu*, II, 13-15.
(2) *Osée*, XI, 1.

contemporains et des historiens romains et de l'historien juif : Flavius Josèphe, qui n'eut pas manqué de rappeler ce crime contre sa race. Mathieu, en s'efforçant de lui donner une confirmation prophétique, se charge lui-même de nous indiquer l'origine fabuleuse de ce récit : « Hérode voyant que les mages s'étaient moqués de lui, fut fort en colère ; et ayant envoyé ses gens, il mit à mort tous les enfants qui étaient dans Bethléem et dans tout son territoire, depuis ceux de deux ans et au-dessous, selon le temps dont il s'était exactement informé des mages. *Alors s'accomplit ce qui avait été dit par Jérémie, le prophète* (XXXI, 15). On a ouï dans Rama, des cris, des lamentations, des pleurs et de grands gémissements. Rachel pleurait ses enfants ; elle n'a pas voulu être consolée parce qu'ils ne sont plus (1). »

Le mot *Rama* qui s'est dit des sanctuaires idôlatriques du genre de ceux d'Astarté, signifie *une hauteur*. La Vulgate elle-même dans ce passage l'a traduit par *in excelso*. Mais l'évangéliste, à la suite des Septante, a pris Rama pour un nom de ville. Or, même si on le suit en cette erreur, on ne saurait accepter l'application qu'il en fait à Bethléem, qui est

(1) *Mathieu*, II, 16-18.

au sud de Jérusalem, puisqu'il existe effectivement au nord de la cité sainte une ville du
nom de Rama (1). On dira peut-être que la
caverne de Bethléem où naquit Jésus passait
pour voisine du sépulcre de la femme de Jacob (2) et qu'ainsi se justifie l'interprétation
de Mathieu. Mais alors comment expliquer que
le texte de Jérémie puisse s'appliquer à Rachel, la femme du patriarche, puisque ses enfants lui survécurent ?

Si l'on veut à tout prix tenir ce texte pour
prophétique, il faut admettre que les sacrifices
d'enfants aux dieux barbares des hauteurs, sacrifices qui ne furent pas inconnus des Israélites, furent des figures du massacre des Innocents. Mais à ce compte où ne pourrait-on
pas découvrir une prophétie ? Il faut être
animé du désir de confirmer à tout prix une
tradition pour se satisfaire à si peu de frais (3).

(1.) Baissac. *Les Origines de la Religion*, II, 235-236.
(2) *Histoire de Joseph le Charpentier*, II, 7.
(3) J.-M. Robertson. *Christianity and Mythology*, London, 1900, in-8°, p. 333 qui incline entièrement aux idées
de Dupuis, ne voit dans le massacre des Innocents qu'une
image astronomique. Ce serait une allégorie de l'extinc-
tion des étoiles lorsqu'apparaît à l'horizon le dieu Soleil.
On peut objecter à cette ingénieuse théorie que ce n'est pas
le jeune dieu qui est le massacreur; mais le tyran qui re-
doute son arrivée. Il est beaucoup plus vraisemblable qu'il
n'y a là qu'un souvenir des sacrifices humains et spécialement des sacrifices d'enfants, ordonnés par les monarques
orientaux pour apaiser leurs dieux, lorsqu'ils avaient appris

Le Thème de la Conception Virginale. — Personne ne contestera que l'idée des conceptions virginales était largement répandue avant le Christianisme. Nous avons montré comment ce thème mythique, sous la poussée d'une religiosité plus soucieuse de piété que d'histoire, s'introduisit en maintes légendes divines « Aucune autre femme (qu'une vierge) dit le Lalita-Vistara, (à propos de Bouddha) n'était digne de porter le premier des hommes (1). »

Nous l'avons vu, les chrétiens d'origine grecque attribuèrent ce privilège à Jésus comme les Grecs païens l'avaient attribué à Pythagore et à Platon. Mais comment réussit-on à étayer une telle légende aux yeux de ceux qui croyaient connaître l'ancienne histoire du Messie? (2) Pas n'est besoin de chercher un procédé nouveau : Celui qui a permis d'introduire et de justifier les thèmes précédents aux yeux de la tradition judéo-chré-

de leurs voyants que quelque catastrophe les menaçait. L'idée qu'ils avaient tout à redouter, d'un de ces enfants dont ils ordonnaient le massacre, n'est déjà qu'un essai d'explication de cette hécatombe barbare.

(1) Cité par DE CHARENCEY. *Le Folklore dans les Deux-Mondes*, p. 183.

(2) « L'idée de la conception virginale dans la controverse avec les Juifs, était plutôt matière que réponse à objection ». A. LOISY. *Le Quatrième Évangile*, Paris, 1903, in-8°, p. 101.

tienne (1) ne fait que recevoir ici une nouvelle et suprême application.

Il y a dans Isaïe une page où le prophète
annonce à Achaz la prochaine délivrance du
royaume de Juda « Vois cette jeune femme
enceinte, lui dit-il, et qui va enfanter un fils.
Son fils s'appellera Emmanuel. Avant que
l'enfant sache rejeter le mal et choisir le bien,
le pays dont tu redoutes les deux rois sera
condamné (2) ».

Dans les Septante, le mot hébreu *almah* qui
signifie *jeune femme* fut traduit par vierge (3)

(1) On a essayé de montrer que l'idée d'une vierge mère
n'était pas étrangère aux traditions juives. A. BEDIN. *Les
Traditions messianiques*, Lyon, 1851, gr. in-8°, p. 333-342.
Cette démonstration est des plus mauvaises. Il faut observer
cependant que les Juifs de l'époque chrétienne durent être,
pour la plupart, peu ou beaucoup influencés par l'esprit
hellénique. C'est ainsi que Simon le magicien, qui se faisait appeler le Verbe de Dieu, attestait : « Je ne suis pas
fils d'Antoine, mais Rachel ma mère m'a conçu tandis
qu'elle était vierge encore. » ST-CLÉMENT, *Recognitiones*,
l. II, c. 14.
(2) ISAÏE, VII, 14.
(3) « Toutes les tentatives des théologiens pour donner
à *Almah* le sens de *vierge*, viennent échouer contre les deux
textes du Cantique, VI, 8 et des Proverbes, XXX, 19. La
Almah de ce dernier endroit et les *Alamoth* du Cantique ont
manifestement perdu leur virginité. Du reste, ce n'est pas
sur la mère que le prophète Isaïe attire l'attention d'Achaz,
c'est sur le nom que doit porter son enfant. Ce nom symbolique est la preuve de la proximité du salut. » G. HERZOG.
La Sainte Vierge dans l'Histoire, Paris, Nourry, 1908, gr.
in-8°, p. 9, note 1. Il est bon, je crois de rappeler le texte
des Proverbes, XXX, 19 : « Il y a trois choses qui sont
trop merveilleuses pour moi, même quatre, lesquelles je

et, par la suite, grâce à ce contre-sens, la prédiction du triomphe de Juda devint une prophétie de la conception virginale du Christ.

Si l'on se reporte au contexte, il est pourtant facile de voir que tel n'est point le sens de ce passage. Quelques versets plus loin, le prophète nous apprend que la jeune femme dont il parle était sa contemporaine et conçut peu après. « Puis je m'approchai de la prophétesse, laquelle conçut et enfanta un fils. Et l'Eternel me dit : Appelle-le : Maher-Sçalat-hasçbaz (Malheur à vous), car avant que l'enfant sache crier : mon père et ma mère, on enlèvera la puissance de Damas et le butin de Samarie, en la présence du roi d'Assyrie (1). »

L'enfant de la prophétie devait donc naître avant la destruction de Samarie (722 av. J.-C.) et ne pouvait, par suite, être le Christ. Le

ne connais point : La trace de l'aigle dans l'air, la trace du serpent sur un rocher, le chemin d'un navire au milieu de la mer et la trace de l'homme dans la *Almah*. » Imaginez que l'on traduise *Almah* par vierge, comme l'ont fait maints chrétiens, le texte devient parfaitement absurde. Van Hoonacker, qui a tenté l'un des derniers la défense d'une semblable traduction, n'hésite pas à écrire : « L'exemple de la *almah* n'est guère compréhensible que dans la supposition que l'auteur a en vue des rapports où la virginité de la jeune fille est respectée. » *La Prophétie relative à la naissance d'Immanu El* dans *Revue Biblique*, avril 1904, p. 221. Je laisse à chacun le soin d'apprécier.

(1) *Isaïe*, VIII, 3-4.

prophète lui donne successivement deux noms:
Emmanuel (Dieu ou Joie avec nous) dont la
sinification était propre à rassurer la tribu de
Juda, et Maher-Sçalal-hasçbaz (Malheur avec
vous) car sa venue devait précéder de peu la
ruine de la Syrie et de la tribu d'Ephraïm.

· Mais qu'importaient de telles minuties à des
gens dont la piété passionnée voulait justifier
la tradition glorieuse qu'ils avaient préjugée
au sujet de la conception de Jésus? Ne fallait-
il pas que le fils de Dieu fut fils d'une vierge?
N'eut-ce pas été un scandale que le fils de
Dieu fut né du charpentier Joseph?

Les Juifs et les païens qui combattirent le
Christianisme, mûs par une passion contraire,
prétendirent, les uns avec Celse, que le Christ
était le fils d'un soldat nommé Panthère (1),
les autres qu'il était le fruit de l'inceste et le
fils du frère de Marie (2).

(1) ORIGÈNE. *Contre Celse*, I, 32. — Il est question de
ce Panthéra dans un curieux pamphlet juif, intitulé Toldos-
Jeschu ou Todetoth Jeseu qui a été publié par Wagenseil
dans son livre *Tela ignea Satanae, Altorf*, 1681, in-4°. —
Les anciennes compilations juives font aussi mention de
Panthéra. On lit dans le *Sabbath*, 104-B. « Quant à la
Satada (Marie) son amant était Pandera; mais son mari
était Papos ben-Johadan. » De même, au Talmud de Jérusalem, *Abadas Sereth*, ch. IX, 40. « Vint quelqu'un qui
souffla au malade une formule de conjuration au nom de
Jésus, fils de Pandéra, et le malade guérit ».

(2) L. LEBLOIS. *Les Bibles*, Paris, 1887, V, 378, note I.
Il s'agit ici d'une accusation d'origine alexandrine.

Ceux qui calomniaient ainsi l'épouse de
Joseph se persuadaient à eux-mêmes qu'ils ne
devaient guère s'écarter de la vérité. De l'a-
veu de Mathieu, Marie ne se trouve-t-elle pas
enceinte avant d'avoir habité avec Joseph ?
Satisfaits de ce raisonnement, ils inventaient
sans remords et sur les indices les plus fra-
giles, des accusations qui leur paraissaient
vraies, grâce à leur fervent amour pour le judaïsme ou le paganisme.

Les Grecs qui confessaient la foi nouvelle en
y portant d'ailleurs les exigences, le tour et
les formes d'une piété toute païenne, attribuèrent nécessairement le privilège de la virginité à la mère de Jésus. Ils sentaient, d'ailleurs, que ce miracle dont ils embellissaient
la naissance du Christ était vrai, à la douceur
qu'ils ressentaient à le méditer, à la joie qu'ils
éprouvaient à le prêcher, à l'émotion conta-

— Sans doute fut-elle imaginée en raison des attaches
égyptiennes que l'on prêtait à Jésus. « Le mariage entre
frère et sœur était, en Egypte, le mariage par excellence
et il acquérait un degré de sainteté ineffable, lorsque le
frère et la sœur qui la contractaient étaient nés eux-mêmes d'un frère et d'une sœur unis d'un mariage identique
au leur ». G. MASPÉRO. *Comment Alexandre devint Dieu
en Egypte,* p. 19. Cette particularité des mœurs égyptiennes qui nous paraît un raffinement d'inceste, découlait de
certaines conceptions religieuses qui lui conféraient, au
contraire, le privilège de produire des enfants divins. Puisqu'on attribuait à Jésus une origine divine, sans doute aussi
était-il né d'un semblable mariage.

15·

gieuse des auditeurs qu'ils captivaient. D'ailleurs, puisque Isaïe l'avait prophétisé, sa vérité n'était-elle pas incontestable?

Parvenus à l'une des conclusions inévitables de cette étude, certains lecteurs pourront être tentés d'un dernier et tardif scrupule. Nous ne pouvons méconnaître, diront-ils, la parenté des divers traits de l'histoire de la naissance du Christ avec des thèmes légendaires fort répandus dans l'antiquité. Mais comment expliquer la formation de cette mosaïque à propos de Jésus si la réalité historique ne correspondait en rien à aucune de ces traditions? Nul ne saurait ignorer et nous l'avons déjà beaucoup répété, qu'il n'est point de grande figure historique; saints ou héros, philosophes ou fondateurs de religion qui ne soient devenus un noyau de cristallisation pour de semblables coalitions légendaires. Cela est vrai de tous les milieux et de tous les temps (1); et cela n'est

(1) P. SAINTYVES. *Les Saints successeurs des dieux*, Paris, 1907, in-8°, en fournira maints exemples; mais nous pouvons en donner ici un spécimen qui ne sortira pas de notre sujet. Nul n'ignore quelle grande et douce figure fut celle de saint François d'Assise et de quelle auréole de merveilles et de miracles les franciscains agrémentèrent son histoire et ce en plein XV° siècle. En 1486, un cordelier, Jean Marchand, dépassant tout ce qu'on avait dit encore, soutint à Besançon les propositions les plus étranges sur la ressemblance entre saint François et Jésus-Christ, entre autres, disait-il, c'était un second Christ, un second Fils

pas moins vrai de l'Orient juif des premiers
siècles de l'ère chrétienne. Je n'en veux pour
preuve que les traditions des Sabéens ou Chrétiens de Saint-Jean-Baptiste au sujet de la naissance miraculeuse du précurseur :

« Depuis longtemps, les Soubbas n'exis-
taient plus, attendu que leurs évêques et prêtres étant tous morts, ils étaient restés sans
pasteurs. et avaient fini par se mêler à
une secte israélite qui n'admettait pas la Cir-
concision, et avec laquelle ils s'identifièrent
pour ne plus faire qu'une seule secte. De cette
situation résulta que pas une âme n'allait plus
à Olmi-Danhouro, qui est le paradis. Les habitants de ce séjour allèrent se plaindre de cet
état de choses à Moro-Eddarboûtho; celui-ci
fit venir sur le champ Mando-Dhaïy, un des
trois cent soixante personnages célestes qu'il
chargea de remédier à cet inconvénient. Ce
dernier se fit apporter une certaine quantité
d'eau, sur laquelle il prononça quelques mots
mystérieux, et qu'il remit à un ange, avec ordre
de la porter à Inochwei, et de faire en sorte
qu'elle en bût sans s'apercevoir de rien ; dé-
clarant que, par le seul effet de cette boisson

de Dieu; sa conception avait été prédite par un ange à sa
mère; de même que le Sauveur, il avait vu le jour dans
une étable entre un bœuf et un âne.

divine, cette femme se trouverait aussitôt enceinte, et accoucherait d'un enfant qui serait
considéré comme le sien propre (de Mando
Dhaïy). L'ange invisible se rendit près de
Inochwei et plaça le vase d'eau devant elle.
Celle-ci prit sans se douter de rien, dans le
creux de ses deux mains jointes ensemble, un
peu de cette eau qu'elle but pour étancher sa
soif. Dès ce moment, elle se trouva enceinte.
La nuit suivan' , un des Juifs vit en songe
que la femme d'Abou-Saoûa était devenue
grosse et que l'enfant auquel elle donnerait le
jour serait le chef suprême de sa nation, que
tous les Juifs devaient un jour être soumis.
à ses ordres; qu'il les baptiserait et qu'il leur
ferait boire de l'eau de la *mambouha* (1). Ce
Juif alla conter sa vision au chef de sa secte,
appelé Eléazar. Ce dernier vint trouver à son
tour Abou Saoûa, et lui fit part de ce qu'il
venait d'apprendre, l'assurant que sa femme
était grosse (2). « Comment peut-il se faire,
dit Abou Saoûa, que ma femme soit enceinte
à l'âge où nous sommes tous les deux, et après
un si grand nombre d'années que nous avons
passées ensemble sans avoir d'enfants! » Eléa-

(1) Fiole d'une eau que le prêtre Soubba fait boire à la
personne qu'il baptise.
(2) Les Soubbas croient à l'interprétation des songes.

zar lui affirma de nouveau le fait; puis il alla
convoquer les notables des Juifs pour leur annoncer cet évènement. Un procès-verbal de la
vision, dressé par l'assemblée, fut envoyé à
un interprète des songes, fameux par sa pers-
picacité, et l'explication donnée par ce dernier,
s'étant trouvée conforme à la leur, il fut décidé que les Juifs assisteraient à l'accouchement de Inochwei, et qu'ils tueraient l'enfant
à sa naissance, afin de n'être pas forcés de se
soumettre à lui. Après la tombée de la nuit,
Abou-Saoûa se rendit près d'Eleazar pour se
concerter avec lui sur le sujet qui le préoc-
cupait toujours. Eleazar vit entrer Abou-
Saoûa précédé de deux flambeaux d'une lumière éclatante et suivi de deux autres. Il lui
demanda avec étonnement de lui expliquer le
motif pour lequel il était venu chez lui,
accompagné de quatre semblables lumières.
« Je n'en sais rien, lui répondit Abou-Saoûa;
tout ce que je puis te dire, c'est que c'est la
première fois que je les vois et que j'ignore
d'où elles viennent (1) ».

Eléazar lui communiqua ensuite la nouvelle
interprétation qu'il avait obtenue du songe et
qui confirmait la première. Quelque temps

(1) C'étaient des lumières divines qui l'ont toujours accompagné la nuit pendant les neuf mois que dura la grossesse de sa femme.

après, Abou-Saoûa apprit d'Inochwei elle-
même qu'elle était enceinte. Mais elle ne savait pas, disait-elle, comment cela s'était fait.
Prévenu déjà par le songe, que cette déclara-
tion de sa femme venait de confirmer, il ne
put que se résigner et attendit. Or, neuf mois,
neuf jours, neuf heures, neuf minutes après
la conception (1). Inochwei fut prise des douleurs de l'enfantement. Les femmes juives se
réunirent aussitôt autour d'elle (2), avec l'ordre
secret, donné par les chefs, de tuer l'enfant
dès qu'il verrait le jour.

Ce complot tramé par les Juifs ne réussit
point. *Zahriel Leletho*, s'empara de l'enfant
qu'elle fit sortir par la bouche de la mère (3)
et qu'elle remit entre les mains des anges, qui
le transportèrent à Olmi Danhouro (le paradis)
où ils le déposèrent sur l'arbre appelé *Moh-
sioum* (4). Cet enfant, qui est *Yahio* (Saint-

(1) Pour les distinguer des autres humains, Alaha voulut
que Yahio et Jésus restassent plus de neuf mois dans le sein
de leur mère.

(2) Cet usage existe encore aujourd'hui en Syrie et en
Mésopotamie, c'est-à-dire que plusieurs parentes se réunissent près de la femme en couches. A. Bagdad, on les invite
même à venir.

(3) Zahriel Leletho est une espèce de nymphe chargée de
présider aux accouchements.

(4) C'est un arbre du paradis dont les branches sont
chargées de mamelles produisant continuellement du lait.
Les enfants soubbas morts après avoir reçu le baptème, et
qui ont encore besoin de lait, sont déposés sur cet arbre,

Jean-Baptiste) fut élevé dans le paradis, où il
fut baptisé au nom de *Alaha*, de *Moro-Eddar-
boutho* et de *Mando-Dhaïy*, son père (1) et où
il fut instruit dans toutes les sciences. Quand
il fut temps de le renvoyer dans ce monde,
pour remplir sa mission de chef et de législa-
teur des Soubbas... il fut remis entre les mains
d'Annoch-Othro (2) qui fut chargé de l'accompagner jusqu'à notre monde (3) ».

Les chrétiens de Saint-Jean ne sont plus
qu'un petit nombre et l'on peut prévoir un
jour prochain où il ne restera aucun d'eux
pour témoigner de la virginité d'Inochwei, la
mère du Baptiste. Il est cependant d'autres religions plus vivantes où des multitudes croient
et affirment un semblable prodige. Aujour-
d'hui encore, tous les ans, les Hindous mar-
chent sur des charbons ardents pour attester
la virginité de Draupadi, l'épouse commune
des cinq fils de Kourou (4). Mais nous, les
hommes de l'Occident, en présence de ces
merveilles, nous demeurons incrédules.

dont ils tettent les mamelles jusqu'à ce qu'ils soient en état
de prendre des aliments solides.

(1) C'est au nom de ces trois personnes que Yahio a toujours baptisé.

(2) Un des trois cent soixante personnages saints.

(3) M. N. SIOUFFI. *Etude sur la religion des Soubbas ou
Sabéens*, Paris, 1880, gr. in-8°, p. 4-6.

(4) E. RENAN. *Etude d'Histoire religieuse*, Paris, 1862,
in-8°, p. 389.

Conclusion

J'ai essayé d'ordonner avec méthode, l'ensemble de cette vaste matière. La distribution des pratiques fécondantes et des récits de naissances miraculeuses d'après la nature de l'agent fécondateur, les a éclairés, je crois, d'une lumière toute nouvelle. J'ai pensé renforcer ce résultat essentiel en divisant l'étude des grandes légendes en multiples sections consacrées chacune à l'étude d'un thème miraculeux.

On se tromperait étrangement si l'on m'attribuait la prétention d'avoir fait une histoire chronologique des conceptions surnaturelles. Je n'ignore point que les divisions que j'ai adoptées et cette sorte de hiérarchie de complexité que j'ai établie entre toutes les données de cette étude, pour être fondées dans la réalité ne sauraient représenter l'ordre historique objectif non plus que la complexité et l'enchevêtrement réels des pratiques et des légendes dans leur transmission de bouche en bouche et de génération en génération. Je m'estimerai heureux si je l'ai fait pressentir. Je sais

également combien il est difficile de déterminer, à propos de tel récit particulier, s'il dé-
coule d'une mauvaise exégèse rituelle ou iconographique ou si, au contraire, il a été le
générateur de tel rite ou de tel image, mais je
souhaite avoir donné une idée de ce rythme
alternatif et de ce mouvement progressif qui
nous montre les légendes les plus parfaites de
plus en plus détachées des pratiques rituelles
auxquelles leurs sœurs primitives furent étroitement et organiquement unies.

Des légendes comme celles de la naissance
de Jésus chez les Chrétiens, ou comme celle
de la naissance du Baptiste chez les Sabéens,
sont les dernières fleurs d'une longue et in-
tense culture. La seconde s'est greffée sur les
restes d'un culte naturaliste où l'eau et les
astres jouaient les rôles essentiels. On peut aujourd'hui la considérer d'un point de vue purement archéologique. La première s'est trouvée associée à l'une des manifestations les plus
hautes de l'effort humain vers la Sainteté ou
comme eussent dit des Grecs : vers la Sagesse.
Elle vit encore de la pleine existence des
croyances vivantes. On y croit de toute son âme,
on y croit de tout son cœur et beaucoup sont
persuadés que le sort de la moralité est indis-
solublement lié à cette légende merveilleuse.
Je serais désolé que, si l'un de ceux-là me

lisait, il considérât mon livre comme l'attaque
méprisante d'un sceptique et qu'il ne vît en
moi qu'un démolisseur des fondements de la
morale. Persuadé que la moralité a des liens
effectifs avec la religion, je suis non moins
assuré qu'elle est indépendante de l'accepta-
tion d'un récit légendaire.

Et je souhaiterais qu'eux-mêmes pûssent
s'en persuader. Car beaucoup d'entre eux deviendraient aussitôt les meilleurs ouvriers de
l'œuvre qui, tous, nous appelle. Ils envisa-
geraient alors l'étude critique de l'Evangile
d'un œil plus calme; ils ne redouteraient plus
de voir le Christ reprendre sa véritable place
à la tête de notre humanité parmi les maîtres
de la Sagesse.

Même découronné de sa divinité, du moins
au sens scholastique, du vieil enseignement
chrétien, ils continueraient de l'aimer et d'a-
dorer le Père céleste, qui fut son Père et qui
demeure le nôtre, véritable lieu des esprits et
source idéale de la fraternité des générations
humaines.

FIN

Table des matières

INTRODUCTION

CHAPITRE PREMIER

CHAPITRE II

CHAPITRE III

CHAPITRE IV

CHAPITRE VII

CHAPITRE VIII

**Les Théogamies anthropomorphiques. Le culte
des morts et la cohabitation avec les défunts.
Les deux anthropomorphiques et les incubes
divins...** 203

CHAPITRE IX

DU MÊME AUTEUR

SAINTYVES (P.). — La Réforme Intellectuelle du Clergé et la liberté de l'enseignement. 1 vol. in-12 de XI-341 p. Prix : 8 fr. 50

Studi Religiosi, gennaio-febbraio, 1904, p. 86-88.

Un des mérites du livre est le soin que l'auteur a pris de faire parler constamment les personnages compétents sur la matière : prêtres qui racontent la vie de séminaires professeurs, évêques.

Revue universitaire, 15 février 1904.

J'ai lu ce petit livre si vivant et si sincère avec beaucoup de plaisir. L'auteur est une de ces intelligences droites et libres qui. dans le catholicisme, supportent impatiemment ce que lui-même appelle le *cléricalisme* et qui, pour l'intérêt même de leur religion, réclament la liberté de s'instruire, de penser, de pratiquer les méthodes critiques et scientifique, la liberté aussi de connaître et d'aimer l'esprit de leur temps... Ce qui fait pour moi l'importance de l'acte de M. Saintyves (car un tel livre est un acte), c'est qu'avec lui comme avec M. Houtin, comme avec tout ce petit groupe de foi certaine et fervente, nous autres libres-penseurs, nous nous sentons en sécurité entière et en union spirituelle. Quelle que soit leur foi, ces hommes-là ne demandent pour la défendre ou la répandre que les armes rationnelles.

G. Lanson.

Semaine Religieuse de Saint-Fleur.

L'ouvrage que nous présentons aux lecteurs de la *Semaine* traite avec une sincérité voisine de l'audace cette délicate question d'une réforme intellectuelle du clergé. L'auteur s'abrite sous un pseudonyme. Je le soupçonne d'être un prêtre Il est un peu triste que l'intolérance de quelques-uns oblige des esprits aussi vigoureux et aussi francs à se dissimuler.

Avec ses audaces, le livre de P. Saintyves est bienfaisant. Il a soulevé des polémiques. Ce n'est pas un mauvais signe : c'est la preuve que l'œuvre est vivante. Très instamment nous conseillons ce livre aux prêtres cultivés.

L'abbé M. L...

Le Siècle, 11 janvier 1904.

Voici un ouvrage que j'ai pu lire jusqu'au bout en manquant à toutes sortes de petits devoirs. J'en connais peu d'aussi intéressants.

H. Brisson, président de la Chambre.

L'Autorité, 13 janvier 1904.

En parcourant ces pages, on s'aperçoit tout de suite que l'auteur doit posséder à fond son sujet, être du bâtiment. Aussi, peut-il dire : « Ce livre est d'abord un plaidoyer pour la liberté d'enseignement, mais en même temps une critique de l'enseignement clérical. Cette critique s'appuie à peu près uniquement sur des textes ecclésiastiques et beaucoup seront stupéfiés de voir ce que pensent les membres les plus intelligents du clergé de l'enseignement donné aux clercs.... »

Ed. Puech.

Annales de Philosophie chrétienne, janvier 1904.

Je souhaite que le livre de M. Saintyves ne passe point inaperçu; car il dénonce un péril grave et il nous propose des réformes excellentes.

G. Fonier.

Le Canada, 27 mars 1904.

Le livre de M. Saintyves offre au public catholique un intérêt singulièrement vif. Son orthodoxie est parfaite et de même sa sincérité. Ses dernières pages peuvent, comme le dit l'auteur, rassurer ceux qui croiraient que l'esprit scientifique doive jamais amener la destruction du sentiment religieux.

B.-C. Moras.

P. SAINTYVES

Les Saints Successeurs des Dieux

Essais de Mythologie chrétienne

1 beau vol. in-8 de 416 pages, franco . . . . . 6 francs.

Revue Universitaire, 15 décembre 1907, p. 419 :

Cette étude est divisée en trois parties : I. L'origine du culte des saints. — II. Les sources des légendes hagiographiques. — III La mythologie des noms propres Elle mérite sans doute d'être discutée par les spécialistes de l'histoire religieuse et de la mythologie. Mais la netteté de l'exposition, la multitude des exemples allégués, en font un excellent ouvrage de vulgarisation pour les profanes comme moi, qui sont curieux tout à la fois de voir un peu clair dans la floraison prodigieuse de la légende chrétienne et de savoir ce qu'un catholique libéral est disposé à en croire. C'est une lecture tout à fait amusante et dont la conséquence va loin, au-delà même de ce que promet le titre.

G. Lanson, professeur à la Sorbonne.

Revue historique :

Dans ce volume, M. Saintyves étudie les saints engendrés par des mots; il le fait avec prudence et méthode Il serait à désirer que les érudits locaux lussent un livre si propre à les guider dans la critique des légendes et à leur inspirer de fécondes monographies. Tel qu'il est (ce premier volume), nécessairement provisoire et incomplet, marque avec une force singulière cette vérité que les hommes n'ont pas modifié leurs procédés d'esprit en passant du paganisme au christianisme, que la *sainteté* chrétienne prolonge la *sagesse* païenne.

Ch. Guignebert, chargé du cours d'histoire
du christianisme à la Sorbonne.

Revue du Clergé Français, 1er septembre 1907, p. 501 :

Je n'ai pas besoin de dire qu'aucun catholique ne peut accepter la thèse de l'auteur. Cette réserve faite, on doit reconnaître que le livre de M. Saintyves témoigne d'une rare érudition et qu'il a une réelle valeur scientifique. On y trouve réunis une multitude de faits et de rapprochements que l'on chercherait vainement ailleurs ; du reste, les références abondantes qu'il fournit le rangent dans la catégorie des instruments de travail.

Abbé J. Turmel.

Revue de Synthèse historique, juin 1907 :

M. Saintyves traite les questions qu'il aborde avec une prodigieuse richesse de citations et d'exemples : ses références, toujours précises, montrent combien il est au courant de la science des religions. Pourvu d'un réel talent d'exposition, il permet au lecteur de le suivre sans fatigue à travers de multiples détails Libre de tout parti-pris confessionnel, préoccupé uniquement de la vérité scientifique, son indépendance ne l'empêche pas de parler de phénomènes religieux avec une gravité respectueuse, comme le prouvent ces quelques lignes : « Le culte des héros, et plus encore le culte des saints, sont encore infiniment supérieurs à toutes les formes du naturalisme primitif. Protestation reconnaissante de ce que nous devons aux générations passées, ils témoignent d'une intuition profonde ce qu'il y a de religieux dans le sentiment de l'humaine solidarité. »

Georges WEILL, *professeur d'histoire à l'Université de Caen.*

Courrier Européen, 3 mai 1907 :

Ce livre est une synthèse érudite édifiée dans le silence d'une tour de livres, mais ce n'en est pas moins un arsenal de faits et d'arguments contre le paganisme catholique. Parfois cependant le sujet l'emporte ; il y a telles pages sur les fausses reliques qui sont d'une ironie savoureuse et telles autres sur la politique d'un Grégoire le Grand, qui sont des modèles de sérénité implacable. Tous les éléments hétéroclites des légendes des saints, fruits de l'ignorance ou de l'impudence des clercs, sont disséqués avec un soin d'anatomiste.

Revue de l'Instruction publique en Belgique, 1907, p. 110 ;

Le nouveau volume que vient de publier M P. Saintyves peut être considéré comme un développement, très documenté et très informé, du chapitre consacré au « travail de la légende » dans le savant livre du P. Delehaye, *Les Légendes hagiographiques*, signalé naguère à nos lecteurs. Les notes abondantes et précises, où les travaux des Bollandistes ont une large place, donnent à peu près toute la biographie de ce vaste sujet et suffiraient à assurer le succès du livre, même si l'auteur n'avait réussi, par le talent de la mise en œuvre, à en rendre la lecture aussi attrayante qu'instructive. Comme son prédécesseur, il va de soi que M P. Saintyves a eu surtout à s'occuper « des côtés faibles de la littérature biographique », mais il dira sans doute, avec le P. Delehaye, que « aider à reconnaître les matériaux de qualité inférieure, ce n'est pas nier qu'il y en ait d'excellents: c'est sauver la moisson que de signaler l'ivraie qui s'est mêlée au bon grain dans une proportion parfois déconcertante. »   M. J.

SAINTYVES (P.). — **Le miracle et la critique historique.** *Paris*, 1907, in-12 de 151 p. En réimpression.

Gazette de Lausanne, 17 mars 1907.
Le Miracle et la Critique Historique de M. P. Saintyves intéresse tous les historiens qui s'occupent d'histoire ancienne, d'histoire du moyen-âge et surtout d'histoire religieuse. On n'a rien écrit de plus solide et de plus impartial sur la façon dont la critique doit considérer et interpréter le miracle. Nombre d'exemples empruntés aux miracles de la *Bible* témoignent de l'indépendance et de la franchise de l'auteur.

La Vie Catholique, 9 mars 1907.
« P. Saintyves » vient de publier un livre où est traitée, en un style agréable et limpide, cette délicate question de la critique historique et du miracle. Son ouvrage expose simplement les règles établies et incontestables de la critique, appliquées aux récits miraculeux.

La Justice Sociale, 16 mars 1907.
« Cette brochure sera difficilement acceptée par les théologiens ; elle n'en donne pas moins d'excellentes idées sur la critique ; écrite avec un réel souci de la vérité. »

Revue de Synthèse Historique, juin 1907.
M. Saintyves, déjà connu par un ouvrage remarquable sur *La réforme intellectuelle du clergé et la liberté de l'enseignement*, applique aux miracles racontés dans les livres sacrés ou profanes la critique historique avec toutes ses exigences, il montre qu'on doit en rejeter au moins les neuf dixièmes. A l'égard de ceux qui restent, il refuse d'adopter une attitude négative *a priori* : les progrès actuels des sciences, comme le prouve l'exemple de Charcot, permettent d'expliquer et d'accepter bien des faits miraculeux que la critique du xviii° siècle rejetait d'une manière absolue.

GEORGES WEILL.

P. SAINTYVES. — **Le Miracle et la Critique scientifique**. Paris, E. Noury, in-12 br.
1 fr. 25

Indépendance Belge, 28 octobre 1907.

Ce livre nous expose une philosophie scientifique solide et profondément étudiée en un langage clair et limpide, et jamais, je crois, une critique plus serrée et de meilleure foi de la conception du miracle ne fut présentée au public. C'est en un mot une œuvre du plus grand mérite.

P. H.

Journal de Genève, 15 octobre 1907.

L'auteur de ce travail est animé de l'esprit le plus impartial et le plus informé.

G. ROBERTY.

L'Italie, 22 octobre 1907.

On ne saurait vraiment trop insister sur les inappréciables mérites de ce beau livre, impartial et intéressant, où tout est résumé, précisé, classé, mis à la portée des lecteurs même amplement curieux, d'une façon saisissante et pittoresque. Ceux que préoccupent la question religieuse devront l'avoir lu.

Revue de Synthèse historique, année 1907, p. 117-118.

Le nouveau livre de M. Saintyves est digne de ce penseur vigoureux et original. Dans un précédent ouvrage il plaçait ce miracle en face de la critique historique; cette fois il le confronte avec la critique scientifique et montre qu'il n'y a pas de commune mesure entre les deux.

G. WEILL.

Poitiers. — Imprimerie M. Bousrez.
A. Vacher, représ., 2, place Martin-Nadaud, Paris.

Imprimé en France
FROC022100090120
23144FR00011B/93/P